JN096507

香港はなぜ戦っているのか

李怡（リー・イー） 著
坂井臣之助 訳

草思社

香港はなぜ戦っているのか◉目次

［編集部注］

・本文中の＊番号ルビは、訳者による注記を示し、各項目・章末に訳注としてまとめた。

・各項目末尾の（　）内の日付は、「蘋果日報」に連載された初出時の日付を示す。

解説

坂井臣之助

香港が久方ぶりに世界史の表舞台に戻ってきた。このままいけば香港は駄目になってしまうのではないかという崩壊の危機、存亡の危機の様相をもって、である。世界のメディアのフットライトを浴びるのは、七九日間幹線道路を占拠した「雨傘運動」以来、五年ぶり。犯罪容疑者の中国本土引き渡しを可能にする今回の「逃亡犯条例」改正反対に端を発した抗議運動は、それよりもさらに長期間、持続的に、さらに広範囲に、さらに過激に展開されている。抗議運動はすでに半年を超え、警察に拘束された者は六〇〇〇人を超えた。それでも抗議活動が衰えないのは、民主派も市民も団結し、階層を超えて協力する地盤があるからだ。現在、香港の前に横たわるのは、三つの危機である。

第一は、香港の民主化（「真の普通選挙」）を求める民主派やそれを支持する市民の声に一向に応えないどころか、さらに後退させている中国中央政府とその「指令」下にある香港特別行政区政府に対する失望、不信任という政治的危機である。香港の政治制度は返還前、英国から派遣された総督の下に行政会議（行政長官、財政長官、司法長官と一〇人の議員で構成）があり、行政主導体制を実行してきた。議会（立法評議会）は法律の制定などきわめて権限が制限されていたが、天安門事件の影響や、最後の総督、パッテンの政治改革遂行で民主化要求の声が強まった。

返還後、中国政府は（総督に代わる香港特別行政区の首長である）行政長官、主要官僚、行政会議、議会（立法会。七〇議席の政党別内訳は「日本語版序文」の「訳注3」を参照）の枠組みで、返還前と同じ行政主導体制を実行してきた。しかし、香港基本法四五条では「行政長官の選出方法は、最終的には広範な代表制のある指名委員会が民主的な手続きによって候補者を指名したあと、普通選挙で選出する」と規定されている。全市民による普通選挙（一人一票）の前の段階で、指名委員会という委員会が設置され、候補者を「民主的に」選別することになっているが、その具体的方法は示されなかった。

二〇〇七年、胡錦濤（フージンタオ）政権は一七年に行政長官の普通選挙を実施してもよいとの決定を下した。民主化を切望する香港の人たちは大いに期待したが、一四年八月三一日、中国全国人民代表大会（全人代。国会に相当）常務委員会は、一七年の同選挙において親北京派が多数を占める「指名委員会」（一二〇〇人）が候補者を事前に二～三人に絞る、公民の指名や政党の指名を認めないことを決定。普通選挙への民主派の出馬は事実上、不可能になった。これに失望した民主派とその支持層は「偽の普通選挙」だとして反発、のちの「雨傘運動」へと発展した。

習近平（シージンピン）国家主席は一七年七月一日の香港返還二〇周年記念式典で演説し、「国家の主権と安全に危害を加えたり、中央の権力と基本法の権威に挑戦するなどの行為は決して許さない」と述べたが、普通選挙については一言も触れなかった。今回の「逃亡犯条例」改正反対運動も底流には、こうした「真の普通選挙」を認めない中央政府と香港特区政府への不信感があり、林鄭月娥（キャリー・ラム）行政長官が条例改正案の撤回を宣言すると、抗議参加者らは「五項目の要求」の中心に行政長官と立法会の普通選挙の実施を入れた。

第二は、一国二制度が終わる二〇四七年を前に、「二制度」が「一・五制度」へ、さらに「一・三制度」、「一制度」へと加速度的に統合（中国化）が進むのではないかという社会的、心理的危機である。一九八四年、中英間で調印された「共同宣言」では、返還後、香港における一国二制度と「高度の自治」の実行が約束された。しかし、本書の著者がはっきりと述べているように、「共産主義者の本性とはつまり強烈な権力欲をもっていることであり、（香港の）主権を取得したのち、みずから定めたルールにもとづき、香港の（内部）問題に干渉するのを我慢するのが非常に難しくなった」

返還後、中国は香港の「一制度」をもう一つの中国大陸の「制度」に近づけようと、いろいろと画策してきた。二〇〇三年に国家分裂行為などを禁じる「国家安全条例」案の成立を狙ったが、五〇万人規模のデモを受け、最終的に白紙撤回に追い込まれた。一二年には中国国民としての愛国心を育成する「国民教育」を導入しようとしたが、大規模な抗議運動に遭い、国民教育の必修化を断念した

さらに一五年一〇月、中国共産党（以下、中共と略称）に批判的な本を出版・販売していた「銅鑼湾書店」（Causeway Bay Books）の店長ら四人が相次いで失踪する事件が起きた。八カ月後、四人が中国当局によって拘束されていたことが判明し、香港市民に衝撃を与えた。香港で正常に経済活動をおこなっていても、中国（共産党）に不利なことをしたと判断されれば、中国当局に逮捕されるという恐怖感が広がった。

そうした記憶がまだ冷めやらぬなか、今回、逃亡犯条例改正が強行採決されようとしたわけで、若者だけでなく多くの市民が抗議活動に参加した。中国と香港の人的・経済的「融合」が進んだことで、生存空間が圧迫されていると感じていた香港人は、こうした動きにも敏感に反応した。しかし習近平政権は香港に対する「全面的な統治権を有する」と公言し、その強硬姿勢が変わることはない。

一〇月末に閉会した中共の重要会議、四中全会は「国家の安全を守るための法と執行制度を確立する」とし、具体的には国家安全条例の制定や愛国教育の法案復活が示唆された。そうなればいっそうの反発と、血なまぐさい暴力の応酬、香港社会のさらなる混乱へと拍車をかける

ことになりかねない。

第三は原因というより、むしろ抗議活動の結果として現在進行形で起きている経済危機であり、国際金融センターとしての地位が揺らぐのではないかという懸念である。香港は改革・開放以降、国際金融センター、中継貿易基地として重要な役割を果たしてきた。過去四〇年来、中国が香港を経由して大陸本土に導入した外資の比率は一貫して五十数％を維持。香港返還以後も、世界のマネーを集めて中国本土に供給し、二〇一八年の中国企業のエクイティ・ファイアンス（新株発行をともなう資金調達）のうち香港での調達額は全体の四二％、ＩＰＯ（新規公開株）に限れば五五％にもおよぶ。

中国の富裕層の多くが香港に投資、なかには汚職で不正蓄財した資金も流れ込んでいる。経済規模（ＧＤＰ）こそ中国の三％足らずになったが、いまも「金の卵」を産むガチョウの役割は変わらない。

一方で香港経済が危ないとの声も上がっている。たとえば、中国政府が広東省深圳（シエンゼン）市の金融機能強化を打ち出したが、香港のお株を奪う取り組みではないかとの観測が流れたり、シンガポール紙「ストレート・タイムズ」が社説（八月六日）で、「香港の経済的損失はすなわちシンガポールのキャピタル・ゲイン」との派手な見出しをつけ、千載一遇のチャンスを確実に手中にしようと呼びかけた。また、日本経済新聞社と日本経済研究センターが日本企業など約一〇〇〇人を対象にした調査では、日本企業にとって今後「金融・貿易拠点としての魅力が損なわれる」との答えが三六・二％ともっとも多かった。

こうした動きを懸念した黄奇帆(ホアンチーファン)元重慶市長は九月、あるフォーラムで、「たとえ今後二〇～三〇年経過して他の都市（上海、深圳、青島）のGDPが香港の二～三倍になったとしても、香港の地位に取って代わることはできない」と、その価値を強調した。中国不動産大手の多くが香港で資金調達しており、市場混乱で資金繰りが詰まれば（中国経済の）バブル破裂の引き金を引く（九月二四日、日経）との指摘も出ており、習政権も香港経済崩壊を恐れ、容易に武力介入できない状況だ。

実体経済にも影が差しはじめた。香港のホテル代が三分の一となったり、日本の航空会社が香港行きフライトの減便を決めるなど影響が広がってきた。香港政府は七―九月期の実質域内総生産（GDP）速報値が二・九％減となり、二〇一九年通年ではマイナス成長率になる可能性が高いと発表した。

日本企業にとっても香港の経済的価値は高い。日本は香港にとって四番目の貿易相手。香港からの訪日旅行者（香港人インバウンド）数は二二〇万七九〇〇人（二〇一八年現在）。年々、右肩上がりに上昇し、一三年から約三倍に増えた。香港に進出している日本企業は一六八八社（米国企業は一三〇〇社以上）、二二八八カ所に拠点を構えている。業種は、耐久財や消耗品の卸売業、輸送に付帯するサービス業、飲食店など多岐にわたる。

香港は巨大市場の中国本土へのゲートウェイとして位置づけられ、まず香港内で成功を収めたのち、中国本土への進出を計画する企業が多く、近年では、衣料品や食品関連企業の挑戦が多くなっている。「抗議活動の長期化で訪日旅行者の減少や香港への投資減退、さらには香港を通じたアジア全体との取引停滞にもつながりかねないと懸念されている」（東京商工リサーチ、二〇一九年一〇月一日調べ）。懸念は現実のものとなった。日本貿易振興機構（ジェトロ）が一〇月下旬公表した在香港の日系企業向けアンケート調査の結果では、五三％の企業が一―八月の業績が悪化したと回答した。三九％は「デモや抗議活動」が業績に悪影響を与えたと述べ、小売りや飲食業で深刻だという。

こうした危機の根底あるいは原点にあるのが、香港の中国化と、それに反発する香港の本土意識の高まり、両者の対決である。香港の本土意識とは何か。わかりやすく言えば、それは香港を「ふるさと」と考え、香港の現状（法と自由の尊重）を大切にし、広東語の文化を愛し、香港の利益を優先するローカリズム（地域主義）の意識である。本土意識こそ近年の香港情勢を読み解くキーワードだと言っても過言ではない。

本書は、香港の本土意識を理解するうえできわめて啓発に富み、かつ有意義である。本土意識が台頭するいきさつから、泛民主派のなかの大中華派と本土派の対立、本土意識の防衛とそれに対する反対意見、旧香港人と新香港人の対立、中国に傾斜する香港の政治・経済の現況、香港の親中国・愛国団体と裏社会、中国政府との〝ひそやかな〟関係、中国大陸と香港の多くの矛盾など、論点は多岐にわたる。日本ではこれまで香港の本土意識について、まとまって紹介されたことはほとんどなかった。

著者の李怡（リーイー）氏は香港在住七〇年、政論雑誌の編集長として三十数年間、そのあとはコラムニストとして香港社会や中国の政治経済動向を観察してきた。しかも広東語を自由自在に話し、香港人の心情を深く理解するだけに、「皮膚感覚に」裏打ちされたその筆致は鋭く、時には皮肉っぽく、時にはユーモラスですらある。もしも広東語を理解しなければ、香港人のエスニックな感情をとうていとらえきれないであろう。

本書は、著者が香港の新聞「蘋果日報（ピングオリーバオ）」（Apple Daily）のコラム「世道人生」に連載（二〇〇七～一三年）した文章に加筆し、二〇一三年末に出版したもので、批判の矛先は主として、習近平国家主席の手先で、中共の地下党員と噂された梁振英（C・Y・リョン）行政長官の執政に集中している。梁長官の時代から中共の香港に対する介入が強くなったと言われるだけに、李氏の文章はある意味で時代の先を読んだ先駆的なものと言える。

雨傘運動には直接言及していないが、今回、日本語訳を出版するにあたり、特別に書いた「日本語版序文に代えて」のなかで、雨傘運動以後の香港の政治情勢を簡潔にまとめ、逃亡犯条例改正の反対運動にいたる経過とその原因を詳しく論述している。この文章からは著者の香港に対する愛情と憂患意識が強く感じられ、とくに若い世代への思いは、読んでいて胸が熱くなった。

香港情勢は刻一刻と変化している。「逃亡犯条例」撤回後の二〇一九年一〇月四日、香港政府は「緊急状況規則条例」（具体的にデモ参加者の覆面禁止。のちに香港高等法院が違憲判決）を発動したが、ほぼ毎週のように抗議活動が続けられた。デモは平和的なものだけでなく、一一月に入ると、デモ隊は各地で道路や鉄道の線路に物を投げ入れるなどして交通を妨害。香港中文大や香港理工大は学生と警察隊が衝突する主戦場となり、火炎瓶と催涙弾が飛び交う光景がメディアで、ＳＮＳで大きくとりあげられた。

こうした騒然とした雰囲気のなかで一一月二四日におこなわれた区議会議員選挙では、民主派が定数四五二議席のうち八五％を獲得して圧勝した（得票率は民主派が五七％、親中派が四一％）。投票率は前回の四七％をはるかに上回る七一％と、返還以降の過去最高を記録した。政治に興味のなかった人々が目覚めた結果なのか、あるいは危機感の表れなのだろうか。民意を反映しやすい区議選と異なり、立法会選挙（次回は二〇二〇年）、行政長官選挙（次回は二〇二二年）で民主派が多数をとるのは容易ではないが、少なくとも香港政府も中国政府も今後、民主派の投票行為を無視できなくなった。

選挙前は、中国政府は激しい抗議活動を「一部の暴徒」による「暴力的な犯罪行為」と非難。多くの市民（サイレント・マジョリティ）はデモに反感をもち、親中派を支持していると説明していたが、結果的に親中派が大敗。国内向けにも説明がつかなくなった。

さらにこのあと、トランプ米大統領は一一月二七日、米上下両院で採択された「香港人権・民主主義法案」（詳しい内容は「日本語版序文に代えて」の「訳注15」参照）に署名し、同法が成立した。これは習近平指導部にとって、区議会選挙大敗に続く誤算であり、大きな打撃であるはずだ。

区議会選挙の地滑り的勝利といい、香港人権法案の成立といい、香港の民主派にとっては大きな追い風となった。ジャーナリスト福島香織氏の指摘するように、香港のデモは「香港の中国化への抵抗」だけでなく、「西側の普遍的価値観と中共の全体主義的価値観の戦い」（つまり米中対立の代理戦争）の意味合いも大きい。こうした戦いは短期間に決着するわけではなく、長期化が避けられない。「中国は強大で、香港だけでは押し戻せない。国際社会の支援が必要だ」（民主派組織「民間人権陣線」の関係者）とするのは当然だろう。

一国二制度の期限が切れるまであと二八年。デジタル時代初の全体主義国家（フランスの社会学者張倫氏）として、香港を「超監視社会」につくりかえようとする中国。一方、狭くて人口密度の高い香港へ、毎年五万人が片道通行証をもって大陸から「新移民が」がやってくる現実がある。香港人の生存空間はますます圧迫され、逼塞感が強まるだろう。

抗議活動の支援にあたった香港の牧師、譚敏さん（三八歳）は米「ニューズウィーク」誌のインタビューに答えて次のように述べた。「香港の希望というのは、香港人精神をどうやって生かすかだ。政府が変わらなくとも、香港人の特質を生かせば、まだ希望はある」

本書の核心である香港人の「本土意識」が、まさに希望のカギを握っている。今後は、「本土意識」を軸とする香港人の団結とその継続性が問われている。さらに言えば、香港の自由と法治、人権を守るうえで台湾を含む国際社会の支援と連帯がいっそう不可欠となろう。

香港人はなぜ立ち上がったのか——日本語版序文に代えて

二〇一九年を経て、香港はすでに過去とは完全に違う世界になっていた。ほとんど毎日のように起きる街頭デモと抗議活動、毎日発生する警察の暴力とデモ参加者の暴力、毎日おこなわれる政府と警察の、すべての事態に対する荒唐無稽かつほとんど信じる人がいないような説明。香港はいま、急速に落ちぶれていく境遇へと押しやられている。

一九年一〇月一四日、台湾の作家九把刀（ジュウバーダオ）はフェイスブック上でネット友達に、「現在の社会で、どんな職業に従事するのがもっとも面目が立たず、もっとも恥ずかしいと思うか」と尋ねた。彼は「偽の油を売る」ことだと思っていたが、予想外にも、ネット友達の誰もが一様に「香港警察」だと回答した。[*1]

警察のサービス（仕事ぶり）の善し悪しは、従来から一つの場所（国家、地域、都市など）の安全をはかる物差しである。香港警察は二〇一八年およびそれ以前、世界経済フォーラム、世界銀行といった国際組織における「安全と秩序」ランキングで一〇位以内だった。[*2]だがこの数カ月間の香港における抗議運動で、香港警察は世界じゅうのメディアの前にその凶暴かつ卑劣な顔をさらけ出し、台湾のネットアンケートにおいてですら、「現在、社会でもっとも面目が立たず、もっとも恥ずかしい」職業に落ちぶれてしまった。あるネットユーザーは、「このような回答は五カ月前には想像しにくかった」と応じた。

確かに六月初めの民意調査では、香港市民の警察に対する「零信任」(信任度ゼロ)の割合はわずか六・五%だったが、一〇月の調査ではそれが五一・五%にまで跳ね上がった。すなわち、過半数の市民が警察に対し「信任度ゼロ」と回答したのだ。

「安全と秩序」ランキング上位の都市は、わずか数カ月のあいだに、警察が信頼できない都市に変わってしまった。香港で七〇年あまり過ごしてきたメディア人の私は、香港や世界の多くの変遷(移り変わり)を見てきたが、一つの場所がこれほど短期間に、これほど急速に落ちぶれてゆくのは初めて見た。しかも私がよく知っている香港が、である。

「本土意識」の台頭――香港情勢が急激に変化した理由

急激な変化は表面的な現象で、その下に潜む原因は十数年前にすでに香港社会に埋められていた。潜伏していた原因とは香港の「本土意識」の台頭である。

香港の本土意識とは、日本や、あるいは他の地域の本土意識とは異なる。それは中国意識に対して生まれた香港の本地（ホームランド、ふるさと）意識であり、香港の主権が一九九七年に中国に返還されたあとに台頭した、香港本地人（香港人）の身分にアイデンティティをもち、本地（香港）の利益を優先する意識である。それはまた同時に、九七年以後、中国が香港で極力推進してきた中国人の身分というアイデンティティや、香港特区政府が進めてきた中国への利益傾斜に重心を置く施政に対抗するものである。

香港はもともと英国の植民地だったが、一九八四年英国と中国とのあいだで調印された「中英共同宣言」で、一九九七年に香港の主権を中国に返還すると決められた。「共同宣言」およびその後制定された「基本法」では、香港がもともともっている制度は九七年以後、五〇年間不変で、香港は一国二制度、港人治港（香港人が香港を統治する）、高度の自治を実行すると規定された。また「基本法」は第二二条で、中国の中央および地方政府は香港内部の事柄に干渉してはならないととくに規定している。香港人は中国の約束をそれほど信頼していなかったが、選択の余地はなく、しぶしぶ受け入れるしかなかった。

九七年に主権が返還されたのち、当初は圧倒的多数の香港市民は香港が中国による一国二制度の実施場所となることを受け入れ、自分が中国の香港人あるいは在香港の中国人という身分にアイデンティティをもつようになった。当時は中国が一国二制度を履行するうえでかなり良好な時期だった。パニックに駆られ、九七年以前に外国に移民した一部の香港人も、主権返還後、香港のようすになんら変化がないのを見て香港に戻ってきた。

だが中国が約束を守る時間は長くなかった。共産主義者の本性とはつまり強烈な権力欲をもっていることであり、(香港の)主権を取得したのち、みずから定めた規則にもとづき、香港内部の事柄に干渉せずにはいられなくなった。

しかも香港という、この西側世界とリンクする都市は、中国経済が離陸したのちの特権者たちにとって誘惑はあまりに大きかった。中国は香港の主権を掌握したのち、グローバル化のなかで西側との関係をより密接化するなか、政治、経済、社会の各方面で香港に浸透しはじめた。香港人の生活空間は圧縮され、中国が委任した特区政府に対しますます不満を抱くようになった。

それに加えて、中国国内で人民の権益を搾りとられているとのニュースがたえず香港に伝わってきたほか、香港人が中国に出かける回数がますます頻繁になり、中国と中国人に対する理解が深まるほど、政治・経済・社会の各方面で中国との融合を強化しようとする特区政府の政策や措置への反対が広範に芽生えていった。さらに香港本地の権益を擁護し、中国との切り離しを求める意識も出現し、それは急速に成長している。これこそ香港の本土意識である。

本土意識の台頭は民主派[*3]のあいだでも論争を巻き起こした。過去には、香港で民主化を勝ちとろうとする人々は、大部分が「大中華情結」（大中華コンプレックス）をもっており、彼らはあるいは伝統的観念にもとづき、あるいは現実に対する考慮にもとづき、みな自分が中国人であるとのアイデンティティをもち、中国共産党に対し批判を加えても、（みずからは）愛党ではないが依然として愛国であると見なした。

彼らはまた、中国が民主化を実現して初めて香港に民主主義が生まれると考え、毎年、「六・四」（中国の民主化を求める学生たちが、共産党政権によって武力弾圧された一九八九年の天安門事件）を記念し、民主中国の建設を呼びかけ、分離主義の意識を帯びた本土意識には反対した。

このほか、彼らはまた、民主化を勝ちとるには必ず平和、理性、非暴力の方式（略称「和理非」）に従わねばならないと強調し、本土派が（大陸から来た）中国人による香港での大量の日用品購入や病院のベッド占領など、香港人の生存空間に影響を与える行動に勇気をふるって抗議することに反対した。民主派は「和理非」のみが道徳の高地を占有できると考えたのである。

さらには選挙における議席の争奪戦もある。彼らは毎回の選挙で、民主派を支持する選挙民の票を獲得するため、互いに対立する政治勢力となったのである。

私が二〇一三年末に出版したこの本で述べているのは、香港の本土意識の台頭と論争である。

当時、議会（立法会）や民主派の伝統的組織のなかでは大部分が大中華派で、年齢は比較的高かった。しかし本土派は若者たちのあいだできわめて急速に勢力を伸ばし、青少年や学生は、香港の教育が彼らに対し半ば強制的に中国大陸と交流するよう求めたことから、かえって彼らの中国に対する分離意識を増強させることになった。

二〇一四年、民主的な普通選挙の実施を求めて大規模な占拠運動（「雨傘運動」あるいは「雨傘革命」ともいう）が香港で発生した。[*4] 運動は基本的に伝統的な民主派が主導した。八一日間にわたる幹線道路の占拠のあと、特区政府は強制排除に乗り出し、デモ隊は無抵抗のまま身柄を拘束されたり、ちりぢりに散会した。雨傘運動はなんの成果も上げなかったが、香港は自主的存在であるとの意識が香港人、とりわけ若い世代の意識に広範に植えつけられた。

北京に従いつづけてきた行政長官たち

これ以後の数年間は梁振英[*5]と林鄭月娥[*6]が特区トップを務めてきた。二人は香港の民主勢力、とりわけ若い民主本土派に対する北京の弾圧政策を執行し、政治、経済、社会の各政策をあらゆる方法で北京に傾斜させ、香港人の権益や生活上の要求を完全に無視した。

二〇一六年の旧正月、香港の街頭で若者主体の新興政治勢力と警察の衝突が発生し、その後一部の者が逮捕され、裁判所は若い抗議者に重罪を言い渡した。[*7] 彼らは香港の歴史上初めてとなる政治犯、政治難民となった。政府の厳しい刑罰や法律は若者たちのきわめて大きな反感を買った。

政府はまた、一部の民主派人士の選挙出馬資格を取り消したほか、[*8] 一部の民主派人士の立法会（議会）の議席を剝奪した。[*9] その結果、政府を支持する建制派[*10]が立法会で大多数を握ることになり、行政の権力がさらに大きくなり、立法機関の監督を受けなくなった。こうしたことを受け、林鄭政権は向こう見ずに行動してもかまわないと考えるようになり、二〇一九年三月、逃亡犯条例の改正を推進したが、ついには香港市民の激しい反発に遭い、北京の命令を全面的に聞き入れてきた政権は痛い思いをすることになった。

逃亡犯条例の改正は一九九七年に制定した法令に焦点を合わせ、改正を狙ったものである。これに関連する法令は、香港は、香港と逃亡犯引き渡し協定のある地区に逃亡犯を引き渡すことができ、行政長官と立法会の同意があれば協定のない地区にも引き渡すことができると定めているが、「中華人民共和国のいかなるほかの部分を除外する」と明記している。つまり逃亡犯を中国のどのほかの地方にも引き渡すことはできないということである。これは香港の主権が返還される前、中国側が同意して段取りしたもので、その目的は香港の司法管轄区を中国と徹底的に切り離し、香港人や外国の旅行者を安心させることにあった。

逃亡犯条例の改正とはつまりこの（両者を切り離す）壁を取り去り、中国の法廷が（犯罪者と）認定したどの逃亡犯も、みな香港経由で中国に引き渡し、裁判にかけることができる。中国の裁判は、必ず共産党の指導があり、独立した司法は存在しない。それゆえこの改正は、香港人のあいだで一大パニックを引き起こした。香港のメディアはこれを「送中」（中国送還条例と呼んだ。すなわち中国が犯罪者と認めた人間は思いのままに中国へ送られるという意味である。

林鄭政権は（市民の反対を聞き入れずに）独断専行するとともに、法律界の人々（専門家）に説明することも拒否し、立法会における多数票を頼みに条例改正案の強行採決を図ろうとした。

六月九日、香港では一〇〇万人が「逃亡犯条例」改正に反対して街頭デモをおこなうと、同日夜、林鄭政権は当初の計画にもとづき、一二日に立法会総会で改正案を採決にかけると表明した。それに反発したデモ参加者は一二日、立法会の占領を試み、これを阻もうと道路封鎖した警察と衝突。警察は過度の暴力を使ってデモ隊を鎮圧し、多くのデモ参加者が負傷し、逮捕された。

社会の世論が非難一辺倒になると、林鄭政権は一五日、法案審査の延期を発表した。だがデモ参加者は引きつづき抗議活動をおこなうとともに、一六日、香港全人口の四分の一近くに上る市民、すなわち二〇〇万人（主催者発表）が街頭デモを敢行、逃亡犯条例改正案の撤回、六・一二「暴動」認定の取り消し、デモ参加者の無条件釈放、警察の暴力的鎮圧を含むすべての事態を調査する独立調査委員会の設置、林鄭政権の退陣（のちに行政長官選挙と立法会選挙の二つで「普通選挙」の実施に変更）という五大要求を提出した。

六月以降、この五大要求を勝ちとるため、香港人はデモと街頭での抗議活動を続けており、警察が暴力的鎮圧をエスカレートさせている状況下で、デモ参加者も街頭での暴力をエスカレートさせている。そのうちいくつかの象徴的な事件によって、若者を主体とする勇猛果敢な街頭の抗議活動は社会の各階層やさまざまな世代にまで感染した。

七月二一日、元朗（ユンロン）では反社会組織の人間の仕業と見られる襲撃事件（藤のつるで無差別に通行人を殴打）が起きたが、警察はわざと事件の処理を回避した。

八月三一日、地下鉄の太子（タイジー）駅構内では警察が警棒で無差別に乗客を殴打し、駅を封鎖するとともに、記者や救護隊員を駅構内の外に追い出した。その後、香港地下鉄（ＭＴＲ）当局は駅が封鎖されたあとの監視カメラに映ったすべての映像の提出を拒みつづけているため、誰かが駅構内で殴殺されたのではないかと一部の人は疑っている。

九月二二日、抗議活動に参加していた一五歳の少女陳彦霖（クリスティ・チャンイーンラム）さんが、全裸死体となって海面に浮いているのを発見された。警察は自殺だと言っているが、陳さんは水泳が得意だっただけに死因には疑わしい点が残る。

一一月四日未明、警察と市民が衝突した現場で、二二歳の香港科技大学学生の周梓楽(アレックス・チョウ)さんが、付近の駐車場の三階から二階に転落して重傷を負い、その後死亡した。(周さんが警察の発射した催涙ガスを避けようとして転落したとの見方に対し)警察はその可能性を否定した。

一一月、香港中文大学と香港理工大学では、警察と学生の攻防戦が連続して発生。警察は数千発の催涙弾を発射し、大学キャンパスを包囲したため、学生たちは中に立てこもり、多くの市民が学生を救助する活動に立ち上がった……。

六月から一二月までの半年間に、警察は七〇〇〇人余りを逮捕したが、起訴されたのは暫定数値でわずか一七%にとどまった。すなわち逮捕者の大部分は起訴に足る十分な証拠がなかったということで、逮捕権の濫用状況がいかに深刻であるかがわかる。このほか、逮捕されたデモ参加者が拘留中に留置所で警察官から殴る蹴るの暴行を受けたり、性的な嫌がらせや性的暴行を受けたとのニュースも相次いで伝えられた。

六月から九月までに、二五六件の自殺案件と二五三七件の「遺体発見」案件があった。抗議活動参加者が(林鄭)政権によって虐待死させられた事件が、必ずしも法的に正しく「処理」されていないことは、香港ではすでに都市伝説ではなく共通認識となっている。

次々と起こる事態の発展は、香港の各階層や各年齢層の市民の目を覚まし、彼らの（良心を）呼び起こした。もともと親建制派だった一部の人たちも（政府批判へと）立場を変えた。なぜなら、七・二一、八・三一などを映した映像の画面があまりにひどく、見るに堪えなかったからだ。事態の動きがはっきりと示しているように、林鄭政権がデモや抗議活動を抑えるためやたらと弾圧強化に走っているのは政治的解決を求めるからではないし、それは問題の解決につながらず、さらに多くの問題をつくりだしている。香港ではますます多くの人たちが、林鄭政権は市民を敵と見なし、政府と市民、警察とデモ隊の対立はますます深刻化し、収拾不可能な局面にまで発展するのではないかと考えている。

香港の情勢は全世界の注目を集めている。この面で日本の報道は非常に多く、香港人に対する支援の声も、日本を含む全世界で響きわたっている。

すでに有名無実化した「一国二制度」

数カ月間の抗議運動で、香港情勢には私が想像もしなかったいくつかの発展が見られた。

第一は、抗議運動の参加者のあいだで、過去にあったような民主派の分裂現象がすでになくなったということである。イデオロギー面での大中華派と本土派の分裂、あるいは抗議手段の面での「和理非」と「勇武」[*11]の分裂、あるいは若い人と年長者の分裂はもはや存在しなくなった。抗議活動をおこなう者とデモ参加者は「互いに我慢し許しあう」ことを強調し、互いに批判や非難をせず、各人が自分にふさわしいやり方で横暴な政治に反対している。こうした団結して抗議する現象は、過去には想像しにくいものだった。

第二は、民主派のこうした団結現象は、本土意識が事実上、広範な市民のもっとも普遍的な社会意識になったことを物語っている。大中華派は、たとえ彼らが中国に対するアイデンティティをもっていても、中国の権力掌握者はありがたく思わず、香港人がいかなる方式、いかなる身分であれ、民主化を勝ちとろうとする行動を中共の権力への挑戦と見なすことを発見した。中共は大中華派、「和理非」派に対しても同じように弾圧を加えること、さらには中国国内で近年、自由に対する抑圧が強化され、専制的な全体主義権力が発展していることから、大中華派は中国での民主化実現に希望を見出しがたいことを感じとり、分離主義の方向に近寄ってきた。中国との切り離しが徹底すればするほどよいというのが、若者のあいだでの圧倒的な意識となり、無数の中産階級のエリートたちにも感染し、さらには圧倒的多数の市民（中国から来た多くの新移民を含む）にまで拡大していった。

抗議運動のなかで「香港独立」（港独）[*12]を提起する人はきわめて少なかった。それは港独の思想が衰えたからではなく、そうした考えがもはや議題として世間に広くアピールする必要がなくなったからである。言い換えると、中国と切り離し、英国統治時代の自由、法治の価値観を回復することがすでに社会のコンセンサスになったということである。

二〇一六年の旧正月、（旺角(モンコック)の騒乱で）警察と衝突し有罪判決を受けた若きリーダー、梁天琦（エドワード・レオン）が提起したスローガン「光復香港　時代革命」（香港を取り戻せ革命のときだ）[*13]は、今回の運動でもっともよく響きわたるスローガンとなった。それは香港のすべてのデモ参加者の理想追求をほぼまとめたものと言うことができよう。

第三は、全体としての運動は六月から始まり、若者が主力として投入されたことである。彼らには指導者がおらず、頼るのはお互いの呼吸がぴったりあった協力である。もしも彼らの勇気ある大胆な抗議活動がなかったら、立法会はすでに六月一二日に「逃亡犯条例」改正案を採択していたことだろう。これ以後、彼らは前線での抗議行動であれ、後方での支援であれ、（協力して闘い）世界の主要な新聞に広告を掲載するとか、香港の自由のために楽曲を創作した[*14]。

彼らの知恵と勇敢さ、仲の良さ、個人の得失を計算せず、香港の未来のために犠牲を惜しまない精神。彼らは私がこれまで知っていた、政治に関わらず、非常に現実的で計算高い一般の香港人のようではなかった。彼らはこのうえなく気高く、七〇年あまり香港で暮らしてきた私が見たこともない、もっとも勇敢で、もっとも優秀な新しい世代である。彼らは香港において（輝かしい）未来をもつべきであるが、特区政府と警察はもっぱら若者を敵とし、この数カ月間に若い人たちが有罪と認定された。

第四に、若者のこのうえない気高さと比べ想像すらできないのは、中国の絶対的権力を無条件に受け入れ崇拝する林鄭政権の奴隷根性と手先たちのこのうえない邪悪さである。彼らの民意無視、横柄な振る舞い、警察の凶悪残忍さ、横暴さ、うそ偽り、恥知らずは、私がこれまで知っていた、英国の文明制度の洗礼を受け、たとえ悪行を働いても依然としてボトムライン（最低限の規律）をもっていた香港の公務員や政治従事者、とくにプロの警察官のそれではない。

警察はますます過激になり、まるで野獣性の発作が起きたかのように、一回また一回と（抗議活動をおこなう若者らに）暴行を加えた。留置所から伝えられるさまざまな虐待、侮辱、甚だしい場合は逮捕者への暴力行為、連続して起きた、多くの疑問点のある自殺（警察は「疑問の点はない」と強弁している）、海上で浮いているところを発見された遺体……。

こうしたことは、香港がすでに悪いことをやりたい放題の暴虐な政治の時代に入ったのではないか、逮捕された人がたんに殺害されただけでなく、虐殺されたのではないかとの人々の疑いを招いている。こうした暴力の執行者は香港人なのか。香港人はこのようにボトムラインがないほどの残虐な暴力行為をおこなったのか。

第五は、「逃亡犯条例」改正反対運動が「一国二制度」の徹底的な破産を宣告したことである。一国二制度は本来、香港の現状を維持することが引きつづき中国のために金の卵を産むガチョウになるとの考えで設計されたものだが、中国みずからが先頭に立ってこれを破壊した。中国はまず一国二制度を蚕食し（蚕が桑の葉を食うように、端からだんだんと侵蝕していくこと）、最後には「逃亡犯条例」改正案をもってこれを打ち砕き、外部に向かって「中英共同宣言」がすでに時代遅れの挽歌（エレジー）を歌っていると発表する意向のようだ。

伝えられるところによると、中国の公安省や国家安全省（の要員）がすでに浸透した警察部隊は、ほとんどテロに近い暴力を用いてデモ参加者や一部の罪のない人たちにひどい仕打ちをしており、一国二制度はすでに有名無実と化した。一国二制度が提起された当初から、私は懐疑的な懸念を抱いていたが、この数カ月間に同制度が突然ひっくり返されるとは想像もしていなかった。

第六は、香港が再び世界史の表舞台に戻ってきたことである。一九九七年のあと、全世界は香港の大勢がすでに固まったと見なしたほか、中国経済が超スピードの発展で世界経済と融合したことから、世界の人々はもはや香港の変化には関心を払わなくなった。しかし「逃亡犯条例」改正反対運動により香港はグローバルな関心の焦点となった。全世界は、小さく力も弱い一つの地方が自由のために、みずからの力のほどもわきまえずに強大な共産党独裁政権に対抗できることを目の当たりにした。香港人の勇気と犠牲を惜しまない精神は、国際メディアを通じて各国の政治・経済パワー（政治家や経済界を指す）に影響をおよぼした。

その結果、彼らは経済的利益のために他の地域の人権への関心を放棄すべきか否か、強圧的な共産党政権が世界的規模で（勢力を）拡張していることへの関心を放棄すべきか否か、考えざるをえなくなった。

香港への関心が香港人への支援となる

香港情勢はどのように進展していくのだろうか。現在、正確に予測できる人は誰もいない。ただ一点確実に言えることは、自由と人権を守る香港人の決意が後退しないということであり、本土化と、共産党の独裁と一線を画するトレンドが逆転することがないということだ。

一一月二四日、香港で区議会（香港全体で計一八区）議員選挙がおこなわれた。地域の問題を争点とするこの選挙は、これまで建制派が必ず勝つと自信をもっていた。だが今回、大どんでん返しが起きようとは誰が予想したであろうか。全四七九議席のうち民主派が三八八議席を獲得する一方、建制派はわずか五九議席と、全議席の七〇％を占めた四年前の選挙から一挙に一〇％強にまで落ち込んだ。一八の区議会は以前、建制派がすべて押さえていたが、一夜にして民主派が一七区議会を押さえた。

選挙の結果は、若者たちが街頭での抗議活動に参加するだけでなく、選挙という体制内の政治活動にも参加したことを示している。選挙ののち、抗議活動は経済レベルにまで広がり、抗議活動を支持する店舗と警察を支持する店舗を区別し、市民に対し抗議活動を支持する店舗で消費する一方、親建制派の店舗をボイコットするよう先導した。

一面では政府がいっそう輪をかけて市民を敵とし、もう一面では抗議活動をおこなう人々が支持を広げ、多種多様のスタイルで抵抗している。香港社会のこうした対立状態は見たところ、今後かなり長期間にわたり持続するであろう。

香港の未来はどうなるのか？　それは香港人の退却・譲歩にかかっているのではなく、中国と特区政府が香港の民意に耳を傾け、妥協をおこなうのか、それともあとの結果を顧みず引きつづき強引な弾圧をおこなうのかにかかっている。中国は軍隊を出動させて一国二制度を破壊するのか、または林鄭政権の手を借りて暴力機構（香港警察）を強化し、香港の自由と法治、経済的活力を圧殺するのか、あるいは香港人の自主の要求に譲歩し、「中英共同宣言」および「基本法」が香港に対しておこなった約束の履行へと再び戻るのか。

中国経済が苦境に直面し、香港警察が暴力をもってしても抗議参加者を屈服させられず、抗議活動が圧倒的多数の市民から支持されていることに鑑み、中国が林鄭を更迭するか、もしくは新しい特区トップを任命して、表面的には市民の一部要求を満足させることはありうる。だがこのようにしても、中国がいつも香港に干渉することと、香港人が自主的に物事を決めたいとしていることのあいだにある深層レベルの矛盾は、依然として解決することはできない。中国共産党の習性や過去の歴史から見て、彼らは往々にして、すでに掌握している権力から身を引くなら、むしろ自分の体を傷つけみずから滅んだほうがよいと考えている（中共はそうやすやすと権力を放棄しないという意味）。つまり、自由と自主を勝ちとる香港の前途は、必ずしも楽観できないということである。

香港人は抗議運動の初めから、力の対比では大きな落差があることを理解し、自由と自主の獲得に対しても楽観していなかった。六月九日の大デモ行進がおこなわれる前日、私は次のような文章を書いた。

「われわれが立ち上がったのは、希望があると感じているからではない。希望がなくとも立ち上がらなければいけない。人が多いから成功すると信じているのではない。成功しなくとも立ち上がらなければいけない」

その当時、ほぼすべての香港人は、たとえもっと多くの人がデモ行進に参加しても、林鄭政権は他人がなんと言おうとこれまでの自分流のやり方でやると見ていた。しかし、われわれは一人の尊厳のある人間として、市民の法律的な保護の上着を剝奪してまでも（抗議行動の弾圧を意味する）、「逃亡犯条例」改正案を採択しようとする政府の暴挙に対し、勝手気ままにさせるわけにはいかないし、声ひとつ立てないわけにはいかない。

抗議活動に積極的に参加したある若者は、二カ月の奮戦を経たあと次のように語った。もしも抗議運動の開始時、われわれの成功のチャンスが〇・一％だったとしたら、現在はあるいは一％にまで上昇したかもしれない。成功のチャンスは依然として低いが、香港人はすでに自由・民主・法治のぎりぎりの限界まで譲歩しつづけてきた。もはやこれ以上退くにも退けない。勇気をもって抗議活動をおこなうことにしか自由を見出せないと。

前線にいる勇武派の抗議者たちは、「玉石倶に焚く」（良いものも悪いものも，いっしょに滅びる）の心理状態にある。彼らが常々言っているのは「if we burn, you burn with us」である。その意味は中国の古い書物『尚書』（書経）に出てくる「時日曷喪、予及汝皆亡」（太陽はいつ亡ぶのか。私は、みんなとともに亡んでやろう。死なばもろとものの意味）である。すなわち香港が滅びるときは、中国も道ずれにしてかたわらに葬らせるというものだ。

「逃亡犯条例」改正に反対する運動で法律相談に乗ったあるベテラン弁護士は、某フォーラムで次のように述べた。

「あなたが真心をもってこれらの若者に接触し、彼らの一人一人の（警察に）痛めつけられた顔つきを見るなら、あるいは泣きだすかもしれない。彼らには私利私欲がない。どうか彼らを侮辱しないでほしい。これらの若者たちは議論しているとき、どれほどの犠牲であろうと受け入れる用意がある、何年も（監獄に）入ってもかまわない、家族を養う必要があろうとなかろうと、みな遺書を書いたと言っていた。私は香港人であることを光栄に思っている。私はこれまで、香港をこれほど愛したことはなかった。私は若者たちの姿に人間としての美徳や勇敢さを見た」

自由を守る香港の抗議活動が世界じゅうから注目を集めている。

一〇月一五日、米下院は「香港人権・民主主義法案[*15]」および香港に関する二つの法案と議案を採択した。ナンシー・ペロシ下院議長（民主党）は、「香港人民が示した非凡な勇気は、法治の尊重を拒否し、二〇年あまり前に保証した一国二制度の約束を遵守しない、意気地のない政府とは強烈な対比を形成している」と述べた。また、もしも米国が商業的利益のために中国の人権のために声を上げないとしたら、われわれは世界のどの地方の人権のためにも声を上げる道徳的権威を失うことになろう、とも述べた。

「商業的利益を最優先し、中国の人権のために声を上げないことを選択する」は、国際社会に普遍的に存在する、ただ現実的利益のみを追求するトレンドである。香港人は微弱な力で、自由を守るという堅固で不屈の意志をもって専制的な強圧政権に対抗しているが、同時に世界各国人民の理解が得られることを望んでいる。世界の人たちの功利主義志向の向きを変えられるかどうか、香港人の予測できることではない。

この本を、香港の事態に関心を払う日本の友人たちに謹んで捧げるとともに、あなた方が、みずからの力のほどもわきまえずに自由、法治の保持を追求するこの小さな土地に関心を払ってくださったことに感謝を表明したい。あなた方の関心はすでに香港人に対する最大の励ましとなっている。

（二〇一九年大晦日に記す）

訳注

1　二〇一四年九月、台湾の食用油製造大手「強冠（Chang Guann）」が、使用済みの揚げ油やグリース・トラップ（厨房排水中の油脂を分離する装置）にたまった油脂などの廃油からつくった再利用油、計二四三トンをラード（豚脂）と混ぜ、「高級オリーブオイル」と称して台湾全土の飲食店などに販売していたことが判明。台湾当局は、南部の屏東（ピンドン）にある密造工場のオーナーで、事件の中心人物とされる郭烈成容疑者（三二歳）ら関係者六人の身柄を拘束した。食品衛生当局は五日、食品大手を含むラードの購入先二三五カ所を公表。偽食用油に含まれる銅クロロフィル等の添加物が人体にとって肝硬変等を引き起こす可能性があるため、民衆のあいだでパニックを引き起こした。

2　米ギャラップが二〇一八年におこなった「自国は安全と感じるか」の法秩序指数調査では、シンガポールがもっとも安全との結果だった。調査内容は、夜間の独り歩きに恐怖を感じないか、犯罪被害に遭ったか、警察は信頼できるかを、一四二カ国・地域の住民一五万人に聞くもので、指数得点でシンガポールが九七と一位（五年連続）、ノルウェー、アイスランド、フィンランドが九三で二位。香港は九一で、タイ、ウズベキスタンと並んで三位だった。

3 返還前の香港の政治体制は行政主導で、議会（立法評議会）は法律の制定や公共支出のコントロールなどを主要任務とし、行政側が提出する法案にサインするだけの「ゴムスタンプ」と評された。だが天安門事件をきっかけに民主化の機運が高まり、一九九〇年に香港民主同盟が設立され、九二年には匯点（ホイディエン）(Meeting Point) が政党化した（香港には政党法がないため、いずれも会社法にもとづき登録）。

その後、九四年に香港民主同盟と匯点が合併して民主党が設立され、初代党主席には弁護士出身の李柱銘（マーチン・リー）が就任した。香港の民主派（汎民主派とも呼ばれる）を代表する政党であり、メンバーには天安門事件の再評価を要求する者が多い。毎年、天安門事件の犠牲者追悼集会を開催する民主派団体「香港市民愛国民主運動支援連合会」（支連会）を設立した司徒華（故人）や、労働運動出身で支連会幹部（工党主席）の李卓人は「民主派の老将」として有名。李は二〇一四年六月、産経新聞のインタビューで「習近平政権になって中国で言論の自由がさらに遠のいた。天安門事件の真相究明を通じ、香港から中国の一党独裁を終わらせる民主化と改革を支援する」と述べている。

最後の総督パッテンが九二年に議会の大幅な民主化の提案をおこない、九五年の立法評議会（六〇議席。うち二〇議席は全香港の各選挙区で直接選ばれる）選挙では民主党が一九議席を獲得し、第一党となった。返還後の議会（立法会。七〇議席。直接選挙枠は三五議席）でも、汎民主派（民主党のほかに公民党、工党、人民力量がある）の中核として存在感を示す。また近年台頭した新興の本土派政党として本土民主前線、香港衆志（デモシスト）、勇武前線、香港民族陣線などがある。二〇一六年の立法会選挙では、汎民主派が二三議席、本土派が六議席をそれぞれ獲得。非建制派（反中国派）として法案の否決に必要な三分の一（二四議席）以上を確保した。

4 二〇一四年九月二六日の呼びかけ以降、七九日間にわたり香港でおこなわれた反政府デモを指す。当初は香港島にある金融街セントラル地区を座り込みで占拠する運動から始まった。民主団体が「ウォール街を占拠せよ」と同様に「和平占中」（セントラルを〔平和的に〕占拠せよ：Occupy Central）を名乗って運動に参加していたため、「セントラル占拠運動」という呼び名がつけられた。狙いは、香港政府のトップを選ぶ行政長官選挙で、民主派からの立候補を事実上排除するとした中国の決定の撤回を求めることにあった。ただ和平占中を計画した団体は、九月二八日の夜に、安全理由のため緊急撤退を宣言しており、現在では和平占中とは関係ないものとなっている。

一方、特区政府に抗議する数万人の学生・市民が銅鑼湾（コーズウェイベイ）・金鐘（アドミラルティ）・旺角（モンコック）などの繁華街を引きつづき占拠。催涙弾や催涙スプレーで排除しようとする警察に、デモ参加者が雨傘をさして対抗したことから、英国のメディア（ＢＢＣ）などは「雨傘運動」あるいは「雨傘革命」と命名し、以後、この呼称が各国メディアでも使用されることになった（李怡氏は、二日間の「和平占中」とそのあとに続いた雨傘運動を合わせて、大規模な占拠の期間を八一日間としている）。雨傘運動で学生リーダーだった黄之鋒（ジョシュア・ウォン）や羅冠聡（ネイサン・ロー）、周庭（アグネス・チョウ）らは一六年、「香港衆志」を創設した。香港衆志は公約として「民主自決」の実現と、「暴力に頼らない民主化路線」などを掲げる。

5　一九五四年香港生まれ。本籍地は山東省威海市。一九七四年に香港理工学院建築測量学部を卒業後、英国のブリストル理工学院（現・西イングランド大学）で修士課程を修了した。八四年の中英交渉で香港の中国への返還が決定すると、翌八五年に香港特別行政区基本法の起草に加わる。このころより中国の政界や不動産業界との関わりをもつようになる。香港返還後は不動産コンサルタント業を務める一方で、九九年七月から二〇一一年九月まで行政長官の諮問機関である行政会議のメンバーとなった。また、二〇〇三年からは中国人民政治協商会議（政協）香港地区委員を務めるなど、親中派で知られるようになる。二〇一一年一一月、香港特別行政区行政長官選挙に出馬を宣言、同じく親中派の唐英年（ヘンリー・

タン）元政務長官との対決になったが、中国共産党による支持を得て、（一二〇〇票のうち）わずか六八九票の得票ながら当選した。行政長官に就任した直後の一二年、中国本土と同じような愛国心を養うための「国民教育」の導入を決定し、九月より一部の学校で試験導入されたが、学生から高齢者まで幅広い層の市民が抗議デモやハンストに参加するなど猛反発し、事実上の撤回に追い込まれた。また尖閣諸島（中国名・釣魚島）をめざした香港の抗議船出航を事実上容認した。香港では、梁は正式な中国共産党員ではないものの「地下共産党員」ではないかとの疑惑がくすぶる。陳方安生（アンソン・チャン）元政務長官は、梁行政長官の時代から中国が香港の内政に干渉するようになったと指摘している。

現在は政協全国委員会副主席。「逃亡犯条例」改正案に反対する抗議デモに対しては、親中共の立場から厳しい批判を浴びせている。

6　一九五七年香港生まれ。キリスト教徒。元の名は「鄭月娥」で、現在の名は結婚後に夫の姓「林」を冠したもの。香港大学社会学部を卒業後、香港政庁に就職。二〇〇七年開発局長、一二年政務長官と官僚の出世階段をきわめて順調に駆け上がる。一四年のセントラル占拠と雨傘運動では、デモを主宰する学者や学生団体との交渉で、デモの中止や解散を要求するが決裂。警察を投入してバリケード撤去やデモ隊の強制排除をおこなった。

二〇一七年一月、政務長官を辞任し、行政長官選挙に出馬。当時、市民からの支持をもっとも集めていたのは財政長官の曽俊華（ジョン・ツァン）だったが、三月の選挙では当選を果たした。当選後の記者会見で「香港社会の分裂を修復したい」と述べたが、一九年四月、「逃亡犯条例」改正案を立法会に提出したことで、大規模な抗議活動を引き起こした。香港政府は一〇月二三日、立法会で正式に撤回表明し、改正案は廃案となった。だが、デモが収まる見通しはなく、英「フィナンシャル・タイムズ」（ＦＴ）は二二日、中国政府が林鄭行政長官の更迭を検討中だと報じた。ロイター電によると、林鄭長官は地元経済界に対する談話のなかで、「不幸なことだが、基本法にもとづき、行政長官は二人の主人――すなわち中央人民政府と香港市民に奉仕しなければならない。それゆえ行政長官が政治的に動きまわれる空間は非常に、非常に、非常に限界がある」と述べたとされるが、それが彼女の本音なのか、それともたんなる弁解なのだろうか。

7　二〇一六年二月八日深夜から九日早朝にかけて、香港九竜の繁華街旺角で起きた過激本土派と地元警察の衝突を指す。香港旺角の騒乱と呼ばれる。支持者は〝魚蛋革命〟と呼ぶ一方、香港政府は〝暴動〟と呼んでいる。営業許可証をもたず路上で屋台を営む露天商と取り締まり当局が対立したことがきっかけで、露天商の加勢に駆けつけた過激本土派の若者や市民数百人が歩道の煉瓦を投げつけ、街頭の標識を倒し、ゴミ箱に放火。警察側は催涙スプレーや放水で鎮圧し、空に向かって二発、威嚇発砲した。九日朝までにほぼ鎮圧され、参加者と警察、地元テレビカメラマンなど合わせて四四人が負傷し、二四人が拘束された。この事件で香港高等法院は六月、「本土民主前線」の前スポークスマン梁天琦に対し、暴動罪で禁固六年の実刑判決を言い渡した。

8　旺角の騒乱で逮捕された梁天琦は、若者のあいだでヒーローとなり、直後の二〇一六年二月の立法会補欠選挙に立候補して大善戦した。九月の立法会議員選挙では当選が有望視されていたが、香港政府は梁らがフェイスブックなどで香港独立を主張していたのは基本法違反だとして、梁ら数人の出馬資格を無効とした。

9　梁天琦は立法会選挙に出馬できなかったが、自決派・本土派から梁の「代役」として立候補した若者のうち六人が当選した。しかし、当選後の初登院の日に求められる就任宣誓で四人は、「中華人民共和国香港特別行政区」に忠誠を誓うことを嫌い、民主化への決意をつけ加えるなど、法定どおりに宣誓文を読まなかった。政府は彼らの議員としての宣誓は無効として裁判所に提訴。一七年七月、香港高等法院で資格無効の判決が下りた。そのなかには香港衆志の羅冠聡も含まれる。このほか、中国からの独立を主張したとして立法会の議員資格を剥奪された活動家二人を加えると、議会から追放された民主派（新興勢力）議員は六人となる。

10 建制派は、親北京陣営、親中派、左派系メディアなどを指す。倉田徹・立教大学教授によると、もともと香港政界には、民主派に対抗する勢力として、北京に政治的に忠誠を捧げる左派と、英国・香港政庁と協力する財界中心の保守派が存在していたが、返還後の香港では、保守派は北京の中央政府や香港の特区政府との関係を重視する立場なので、左派と保守派の境界があいまいになった。このため民主派以外の勢力を総称して建制派と呼ぶ習慣が定着したという。つまり一言で言えば、「建制派」とは「民主派以外」の意味。建制派の政党としては民主建港協進連盟（民建連）、香港工会連合会（工連会）、自由党、新民党、経済民主連盟、西九新動力、新界社団連会などがあり、一括して「保皇党」とも呼ばれ、香港特区政府を支える与党勢力となっている。

11 多数の市民が加わるデモの最前線で警察とにらみ合い、過激な行動をとる若者たちは「勇武派」と呼ばれる。彼らはガスマスクやヘルメット、マスクを装着し、全身黒ずくめのスタイルで行動し、互いの身元を知らないことも多い。あちこちで道路のレンガをはがし、ごみ箱などでバリケードを築き、時には火炎瓶を投げつけて警察と激しくぶつかりあう。一〇月に入り、警察の発砲でいずれも十代の二人が重傷を負う事態も起きた。香港メディアは勇武派の人数が約二〇〇〇～三〇〇〇人と推測する。勇武派の代表的組織に「勇武前線」がある。

東京新聞（二〇一九年一〇月二五日付）の報道によると、ある勇武派の男性はなぜ過激な手段もいとわないのかと問われ、「（香港返還から）二二年間、平和的なデモがおこなわれてきたが、何も得られていない」、香港政府のトップを選ぶ行政長官選挙では、普通選挙が実現しないばかりか、中国の介入で権利や自由が奪われていくと感じると話し、銀行や地下鉄を破壊したときも「強い怒りからやった。家に帰ってテレビをみてもやりすぎたと思わない」と振り返っている。

12　返還後の香港において初めて「香港独立」（港独）という言葉が現れたのは、二〇〇四年五月の朱育（ジュユイ）誠（チョン）国務院香港マカオ研究所長の発言においてである（「ＪＥＴＲＯ海外研究員レポート『香港独立論』の登場？」〔竹内孝之、二〇一三年〕）。竹内氏によると、朱発言の矛先は、文字どおりの「独立」の企てではなく、暫定的な選挙制度改革に反対し、民主化を求める香港の民主派に対して向けられたもので、実際に独立を主張する団体や運動は当時、香港に存在していなかった。

その後二〇一五年、香港では「港独」に関連するさまざまな動きが見られる。まずは実際に「港独」を目標や綱領とする政党、政治団体の動きだが、「香港独立と英連邦への加盟」を目標とする「香港独立党」（二〇一五年英国イングランドで政党として登録）は一六年、香港でも正式に活動を開始するものの一八年、香港政府から活動禁止の命令が下った。

また香港において初めて独立を主張した政党「香港民族党」（招集人：陳浩天＝アンディ・チャン・ホーティン）が二〇一六年に結成されたが、一八年九月、香港基本法に違反しているとして政府から活動禁止命令を受けた。同党は香港が中華人民共和国から独立し主権国家となることをめざしている。「香港ポスト」紙の報道では、一六年の国慶節（建国記念日）に当たる一〇月一日朝、大学・専門学校十数校で「香港独立」と書かれた大型の垂れ幕が掲げられた。これらはすべて独立派「香港民族党」が提供したもので、独立をめざす主張は大学だけでなく中学・高校へと波及しているという。

中国中央政府と香港政府は、言論の自由のレベルでも香港独立の動きに神経をとがらせており、香港大学学生会が二〇一四年に出版した政治理論書『香港民族論』は、梁振英行政長官が施政報告で厳しく批判したため、大手出版社傘下の書店では「商業的決定」として同書を仕入れ販売しないと発表。また香港大学学生会が一九年、発行する雑誌「学苑」で活動が禁止された香港民族党の特集を企画したところ、政府の取り締まりを懸念して同党代表へのインタビューを断念したとされる。香港民族論の代表的著作に徐承恩（エン・S・Y・ツェイ）の『鬱躁的城邦　香港民族源流史』がある。

香港独立については、現実的な視点から不可能だと見る識者が多い。香港政府の元政務長官、陳方安生氏は、「香港人は実利的で、中国からの独立が現実的な選択でないとわかっている。香港が独立すると言えば、中国は水や食べ物を香港に供給しないだけだ」と述べている。また李怡氏は、本書でとりあげなかった別の文章のなかで、「香港独立は国際的条件あるいは大陸の政情・民情から見て、予見できる将来、実現は不可能である」と指摘している。

13　梁が「光復香港　時代革命」というスローガンを初めて提起したのは二〇一六年二月、立法会新界東地方選挙区補欠選挙に立候補したときだった。立候補の記者会見で「知行合一　世代革新」というスローガンを準備したが、これでは選挙民の投票を引きつけることができないと考え、のちに「光復香港　時代革命」に替えた。そして同年九月の立法会選挙で改めて使用した。

二〇一九年、逃亡犯条例改正案に反対する行動が拡大するなか、デモに参加した香港の人たちがこのスローガンを提起し、全世界から注目を集めた。これに対し董建華（C・H・トン）元行政長官や建制派の政党代表、人民日報系紙「環球時報」の胡錫進（フーシジン）編集長らがこぞって批判。このスローガンは香港独立運動につながるもので、一国二制度への挑戦だとの見方を示した。なお、伊藤一彦氏（大東文化大学東洋研究所専任研究員）によると、「光復」というコトバの初出は、中国歴代王朝の正史の一つで、唐代に編まれた『晋書』桓温伝の「光復旧京、疆理華夏」（古都をとり戻し、中原を統治する）にあるとされる。その後、漢人が支配する明・中華民国を樹立するさい、朱元璋や孫文は「恢復中華」を掲げたが、孫文は同時に「光復中華」も多用した。また国共内戦後、台湾に逃れた中華民国政府は「光復大陸」を掲げて、共産党に支配される中国大陸を武力でとり戻すことを使命とした。

香港の本土化運動でもっとも早く使われたのは二〇一二年の「光復上水站」（上水を取り戻せ）という行動においてである。当時、香港新界の屯門（テュンムン）、沙田（サーティン）、元朗（ユンロン）、上水（ションショイ）では、大陸からの水貨客（旅行客のふりをして、香港で販売している物品を大量購入して中国本土にもち込み、高値で転売する人たち）があふれ、本土派の政党「本土民主前線」はこれに反対して、選挙民に「光復」を呼びかけた。

14 二〇一九年に発表された広東語の楽曲『香港に栄光あれ』を指す。逃亡犯条例改正案をめぐるデモをきっかけに、香港のネット掲示板〈LIHKG〉のメンバーであるThomas dgx yhl（仮名）によって書き下ろされた。この曲はデモ参加者にテーマソング、あるいは非公式な国歌に相当するものとして扱われ、同年九月以降、頻繁に歌われるようになった。原題は『願栄光帰香港』抗争者進行曲。その歌詞（日本語訳）は以下のようなものだ。

なぜ涙が止まらないの
なぜ怒りに震えるの
頭を上げ、沈黙を破り叫べ
自由よ、ここに舞い戻れ
なぜ恐怖は消えないの
なぜ信じてあきらめないの
なぜ血を流しても邁進しつづけるの
自由で輝く香港のために
星も見えない暗い夜に
霧のはるか向こうから聞こえる角笛

自由のためにここへ集え、全力で戦え
勇気と智恵は永久に不滅
夜明けだ、取り戻せわが香港を
みんな正義のため、いま革命を！
どうか民主と自由が永遠であれ
香港に栄光あれ

15　同法案は二〇一九年六月に提出され、香港に約束された「高度な自治」を毎年検証するよう米政府に義務づけるもので、中国返還で約束された「一国二制度」が機能していないと米政府が判断すれば、香港は中国本土と同じ扱いになる可能性があり、そうなれば香港が受けるダメージは非常に大きい（具体的には、従来法で香港に認めたビザ発給や関税での優遇措置の取り消しなど。このほか、人権弾圧にかかわる政府関係者の入国禁止や資産凍結などもある）。こうした個人を対象にした制裁は、香港の親中派官僚や中国政府高官は米国在住の家族がいたり、米国の銀行口座に資産をもっていたりするので、有効だとする見方が多い。

自序

社会には多様な思想の流れがある。香港の思想の流れとは、それぞれ異なる時期の香港社会における主たる考え方を指している。

一九六七年の暴動[*1]と文化大革命、香港の将来に関する中英の交渉、移民ブーム、「六・四」の激震（天安門事件を指す）、一九九七年の香港返還。この数十年来、香港社会が受けたたえまない衝撃により、もともといまいる環境に安住し自分の仕事を楽しんでいた市民は、総じてみじめな境遇のなかに置かれた。そうしたなか、社会のそれぞれ異なる段階に共通する一方、また特性のある主流の思想が生まれた。一般市民は生活に忙しく、何が社会の支配的な思想であるか必ずしも（正しく）認識し、理解しているわけではないが、彼らは現実の衝撃の下に身を置き、時勢の変化に適応するためにかなり普遍的な思想と行為を生みだし、その結果、それぞれ異なる時期における社会思想をつくりだしてきた。

執筆や編集活動に六〇年間従事してきたメディア人として、私はそれぞれ異なる段階で香港の思想の流れの奔流に身を置き、観察し評論をしてきた。この数年来、香港で本土意識（香港人意識）の社会思想が台頭してきた。この考え方はネット上で、とりわけ若者のあいだで勢いよく湧きおこり、巷(ちまた)では本土（香港）に関して論述した何冊かの書物も出版された。だが、社会の主流メディアはこれに対応した行動をあまりとっていない。

本土意識の台頭は、若い人の「それが不可能であることを知り、かえって行動に走る」という勇気を表したものである。不可能が現実なのかもしれない。だが行動しなければすなわち香港は落ちぶれていく。八〇近い老人になった私だが、香港に突如現れたこの本土意識の社会思想の流れに心を揺さぶられ、そこからこの新たに生まれた思想の流れを考え、評論することに主たるエネルギーをそそいだ。読友（読書を通じた友人）の林玉儀さんは、私がここ数年「蘋果日報」[*2]の社説で発表した本土意識に関する文章を整理し、問題別に並べ替え、まとめた結果、この本は本土意識の台頭および論争を系統的に述べた著作となった。

訳注

1　香港の反英暴動「六七暴動」ともいう。一九六七年五月、九龍の造花工場で起きた小さな労働争議が、政庁批判の政治運動、英植民地支配に対する大規模なデモへと発展。これを背後で、香港の中国共産党組織（左派）・広東省の紅衛兵組織が支援し、暴動化した。文化大革命の影響を受けた左派組織が町じゅうに計一一六七発の爆弾を設置、時限爆弾テロが始まり、半年以上の混乱が続いた結果、計五一人（年少の姉弟ら市民一二人を含む）が犠牲となり、多くの負傷者や逮捕者を出した。

2 「蘋果日報」（Apple Daily）は、一九九五年に香港で創刊された日刊紙。大きなカラー写真と人目を引く見出しを特徴とする大衆紙であり、自由主義を標榜する反北京・親民主派の代表的な新聞でもある。香港の大手メディアグループ壹傳媒有限公司（Next Digital Ltd.）が一〇〇％の株式を保有しており、創業者の黎智英（ジミー・ライ）は、「逃亡犯条例」改正に反対する大規模抗議活動では、中国から黒幕の一人と名指しされ批判されている。台湾に同名の姉妹紙がある。

はじめに——無から有へ。香港「本土意識」の台頭

香港では本土派、香港人優先、新移民、新香港人などの話題が沸騰しており、一部の人は、なぜ本土と言うのか、なぜ本土派と言うのか、香港人優先は新移民を排斥し差別視することなのか、など基本的な疑問を提起している。筆者はこの話題についてまず筆を進めたい。

公民としての権利から言えば、本土あるいは香港人の定義はいたって簡単だ。それは香港に七年以上居住する住民を含み、香港のすべての永久住民が享受する権利はすべて平等というものだ。香港在住七年に満たない新移民は、総合社会保障援助や住宅の申請をする権利、香港公務員に応募するなどの権利をもたない。これは世界で通用する慣例である。

社区（コミュニティ）組織協会は早くから、これは政府が先頭に立って新移民を差別視するものだと言ってきたが、そうした発言は、差別とは何かをはっきり理解していないことを物語るだけである。もし新移民と永久住民が同等の権利を享受するとしたら、それは実際には長年にわたり税金（間接税を含む）を納めてきた永久住民に対する不公平というものである。

香港人の定義は、すべての国・地区の現地人（もちろん異なる種族や皮膚の色の人を含む）の定義と同じである。本土論の台頭で述べるのは本土人の定義ではなく、本土意識である。本土人、本土派が指すのは本土意識をもった香港人である。本土意識とは香港をわが家（ホームランド）とする以外に、香港人の権益擁護を優先するか否か、香港人の利益を犠牲にしてまで香港以外の地区の人たちの利益に従う、あるいは外部地区の香港に対する勝手気ままな侵略・侮辱を許すのを望むか否かを含むものだ。

本土意識はさらに、香港で一〇〇年来形成されてきた法治・自由・公平な競争という核心的価値を守り、香港人の文化習俗を守ることを含んでいる。後者が指すのは華人を主体とする香港の文化習俗である。中国人の血統をもたない人たちは、彼ら自身の習俗をもち、法律上の保障を受けているが、侵蝕という問題に遭遇したことはない。

本土意識は植民地時代および香港返還の初期には存在しなかった。香港の社会意識について言うと、市民は法律の保護下での自由競争や安定した生活・仕事を享受する以外に、生活は中国の昔からの伝統ある文化・習俗および南方人の言語（広東語）と生活様式を保ってきた。以前、香港人は政治意識をもたず、もしもったとしても大中華（台湾海峡の両岸、すなわち中国大陸と台湾）の政治的変遷や、革命支援、抗日、新中国建設等々への関心であり、本土（香港）の利益を勝ちとるという政治意識をもつことはきわめてまれだった。筆者や、当時中国の民主化、香港の民主化のために闘った人たちも、大中華への思いやりの感情から出発し、行動した。

この数十年来、大陸から香港に移住してきた人も、もしも政治意識があると言うなら、それも大中華に対し思いやりをもつ意識である。だが他方で、彼らも香港社会に融け込み、香港における法治・自由・生活様式（広東語、ひいては中国他地方の方言を使うこと、英語を学ぶことが含まれる）を十分に認めた。

だがこの数十年来、中国大陸にきわめて大きな変化が起きた。たんに法治が確立されなかっただけでなく、独裁政治に加え改革開放が形成した特権資本主義が社会を変え、人々の様相を変えた。昨年、大陸の青年作家韓寒（ハンハン）は、短期間台湾に滞在したのち、ある文章のなかで彼が台湾で感じた「一貫した体験」を披歴した。

韓寒曰く。

「私は自分が生存する環境のなかでずっと意気消沈してきた。（わが人生の）前半の数十年、人々は凶悪残忍さや闘争することを教わり、後半の数十年は貪欲と利己主義に走り、その結果、多くの人は骨の髄までこうした種（遺伝子）を埋め込まれることになった。私はわが先輩たちが文化を破壊し、あれらの伝統的な美徳を破壊し、人と人のあいだの信任を破壊し、信仰と共通認識を破壊したものの、美しい新世界を樹立しなかったという環境のなかで意気消沈してきた。後輩として、われわれはこれらをすべて埋め補うのか、それとも引きつづき破壊するのか、誰も知らない。私は、われわれのあとの世代が互いに傷つけあうのではなく、理解しあう環境のなかで生存していけるかどうかもわからず意気消沈している。私はわれわれが（自身の）利益や人と人の闘争を除いては、すべてに対し冷淡であることに意気消沈している」

そのあと彼は香港について次のように書いた。

「私は香港と台湾に感謝しなければならない。彼らは中華文化を庇護し、この民族の美しい習性を残してくれたおかげで、非常に多くの根っこにあるものが大きな災難に遭うのを免れた……。彼らはわれわれが失ったものを残してくれた。われわれに欠けているものこそ、もっとも人々を誇らしげにするものだ」

韓寒の文章から、われわれはなぜ香港で本土意識が台頭し、なぜますます多くの香港人が香港を守ろうとしているのかを知ることができる。新移民にはすべてではないにせよ、彼らの「骨のなかに凶暴、闘争、貪婪（どんらん）さ、利己主義の種が埋め込まれて」いる。彼らの、権力に依拠して生存し、利益を獲得するメンタリティは、香港ではすんなりと「愛字堆」[1]（Aijiko）の用心棒、「蛇齋餅粽（ショージャイビーンソン）」[2]の「下っ端のメンバー」となり、建制派の票田となった。強大な権力や財力をもち、鼻息の荒い中国共産党の暴威の下にあって、香港の民主人士はどうして彼らを変える力をもてようか。

本土意識の重点は香港を守ることであり、さらに核心的価値（法治・自由・公正な競争）を除けば、韓寒が大切にしている中華文化と習性を守ることである。大陸が「引きつづき破壊される」のを防ぐ面で影響を与えることができるか否かについては、すでに多数の本土派は考慮に入れていない。「根本から人を減らし」、片道通行証の審査・認可権を取り戻すことは、香港の陥落を避けるため本土派が全力を挙げて勝ちとるべき重要なポイントである。

一部のネットユーザーは筆者の文章を読んだのち、次のようなメッセージを書いた。自分は家庭裁判所の登記所で長らく観察してきたが、毎日、離婚申請のために長蛇の列をなしている男女（女性の多くは普通語〔中華人民共和国において公用語として定められた中国語。標準語〕を話す）は、申請書類に記入するさい、時には相談しあい、言論や立ち居振る舞いはまるで離婚する夫婦には見えない。特区政府や議員は、なぜこれほど多くの人たちが、離婚申請の場で和気あいあいと家庭団欒（だんらん）のようすなのか、疑おうとしないのだろうか。

本土派のあいだには意見の相違があるが、あまり問題ではない。もっとも重要なのは香港を守る本土意識である。たとえあなたが大中華派であっても、韓寒が述べた中華「民族の美しい習性が残っている」のは、ただ香港と台湾のみであることを理解すべきだろう。われわれには香港を守り、香港人を優先し、行騙（シンピエン）長官[*3]（ペテン師長官）の共産党に媚びる悪政を拒む以外に選択肢があるだろうか。

訳注

1 「愛字堆」とは厳格には潮州語から来ている。「愛国愛港」をスローガンとする民間組織を指す。具体的には陳浄心（アンナ・チャン）の「愛護香港力量」、陳広文（チエングアンウエン）の「愛港之聲」およびもっぱら法輪功叩きを目標とする「青年関愛協会」など。メンバーの多くは香港人を自称しているが、実際には大部分が大陸から来た新移民とされる。

2 蛇齋餅粽の「蛇」とは蛇宴（蛇料理を出す宴会）、「齋」とは齋宴（仏教の祭事のさいに寺でおこなわれる食事付き宴会）、「餅」とは中秋節の月餅と農暦新年の年糕（ニエンガオ）（お餅）、「粽」は端午の節句の粽子（ちまき）をそれぞれ指す。これらの四つのものは民主建港協進連盟（民建連）、香港工会連合会（工連会）など建制派が選挙民を買収するためによく使われることから、親中派政党、労働者組織の代名詞ともなっている。

3 親中派の梁振英（C・Y・リヨン）行政長官を「嘘をついて権力の頂点を登りつめた人」と見る人々は、皮肉を込め、行政長官の一字を替えて「行騙長官」（ペテン師長官）と呼び、また香港特別行政区を自分の「特別行騙区」（特別ペテン区）に変えたとして批判、一刻も早く辞任しろと要求した。

1　香港の「本土意識」とは何か

中国共産党への反感の広がり

サッチャー夫人（英国の元首相）が死去したさい、多くのメディアは彼女の政治経歴を回顧し、いずれも（香港返還をめぐる）中英会談時の彼女の役割に焦点を当て、彼女の中英共同宣言調印は香港人を売り渡すものだと考える人は少なくなかった。当時記者だった劉慧卿（エミリー・ラウ）は記者会見で、五〇〇万香港人を独裁的な共産党政権に引き渡すのは、道義上筋が通るのかとの質問をサッチャー夫人にぶつけた。サッチャー夫人はこう答えた。「私は、絶対多数の香港人がこの合意を喜んで受け入れると確信している。あなたはあるいは唯一の例外かもしれない」。劉は絶対に唯一の例外ではなかった。事実上、彼女は当時大部分の香港人の心の声を反映していたのだ。

一九八〇年の香港の「九七」問題が浮上して以降、香港人は一貫して共産党拒否の社会風潮のなかでもがいていた。筆者が当時編集長を務めていた月刊誌「七十年代」（のちに「九十年代」と改称）は、もっとも早くこの問題を提起したメディアである。

一九八一年、筆者は労思光（ラオスグアン）教授[*1]が発起人となって立ち上げた「香港前景研究社」に参加し、その後数十年間、共産党を拒否する香港の思想の流れに関心をもち、その研究に心血をそそいだ。筆者はこの数十年にわたる社会思想の流れの変化を経験し、観察するとともに、近年新たなトレンドが生まれていることを感じとった。サッチャー夫人の死去と、社会思想の流れに新たなトレンドが出現した重要な時期に、私は自分の個人的観察を討論の基礎として識者たちに提起した。

一九七九年、マクルホース香港総督が訪中、鄧小平と会見した。当時マクルホースが九七年問題を提起し、鄧がすでに香港を回収するとの願望を表明したと推測される。マクルホースはこの情報を香港人に伝えなかったが、八一年になって民選区議会の政治改革案を提起した。当時、香港は経済、文明とも離陸し、市民は徐々に香港に対する帰属感情をもちはじめ、民主化の歩みが始まると帰属感はいっそう強まった。

八二年、中国共産党（以下、中共）政権が香港を回収するとの情報が少しずつ明るみに出ると、香港ではすぐさまかなり強い共産党拒否の感情が出現した。共産党拒否の考えの主流は、英国を離れ、中共政権の主権下に入れば港人治港（香港人による香港統治）は不可能であると考えるものだった。

香港社会では、英国による管理統治を延長するさまざまなプランが提起された。主なものとしては、①英国が主権返還と引き換えに統治権を延長する、②九七年に期限切れとなる新界の租借権を延長する、③香港は中共政権の主権下で連邦制を実施し、英連邦に加盟する、④香港は国際社会の保証の下で「港人治港」の半自治ではなく全面的な自治を実施する——である。

またある人は、香港の外貨準備金を使ってアジアの某地に島を購入し、香港人はこの島に移住して生活するとの、いくぶん奇想天外なプランを提起した。香港独立の主張は香港の米欧留学生のなかでかなり高い割合を占めたが、香港に住む市民の大部分はこれが現実的主張だとは見なさなかった。

当時、香港人の共産党拒否は移民となって表れた。移住する地点として、なんとドミニカやトンガといった国も候補地に挙がり、その結果得られた反応は、トンガへの移民申請の場合、トンガ本島以外の大きな岩にしか居留権を与えられないとするものだった。ここから当時の香港人の恐怖がいかほどのものだったか見てとれよう。香港の将来問題についての討論は数多くあったが、主流メディアや社会団体において、中共政権下に回帰し一国二制度、港人治港を実施すると主張する者はほとんどいなかった。

中国回帰に反対しない社会団体、たとえば匯点[*2]、司徒華（スートゥファ）[*3]が設立した教職員組合（「香港教育専業人員協会」）および学生団体の国粋派が、それぞれ主張する中国回帰とは民主的な回帰であり、民主こそ回帰の必要条件だった。当時、趙紫陽（ジャオズヤン）首相は香港大学生会の質問状に回答する書簡のなかで、回帰後の香港が民主を実行するのは理の当然であると述べている。趙首相の書簡によって「民主回帰派」の意思は確固たるものとなった。

香港の将来に関心をもつ人々も中国の情勢を観察しはじめた。香港に来て（祖国）回帰の統一戦線工作をおこなっていた許家屯（シュジアトン）[*4]がおもに語ったのは、香港人が中国の過去を見るだけではだめで、文革後の中国の漸進的な開放と改革を見なければならず、さらには中国の将来を見なければならないというものだった。

当時の中国は胡耀邦（フーヤオバン）（総書記）、趙紫陽（首相）の執政下で、確かに一部の新しい気風が出現していた。それゆえ、共産党を拒否する思想の流れのなかで、中共が香港を回収する決定を下した以上、もはや改めようがなく阻止もできない、それなら中共の改革に期待を寄せるべきだと考える者もいれば、さらには中共による十数年の改革を経たのちには、香港の回帰は必ずしも受け入れられないことではないと、半信半疑に考える人もいた。

総じて言えば「六・四」の前、共産党を拒否する香港の主流の考え方は、中共が提出した一国二制度や港人治港を受け入れないとするものだった。だが同時に中国への回帰が阻止できないなら、以下の二つの条件にもとづき現実を受け入れる考え方も存在した。一つは、中共の政治改革に望みを託し、中共が自由・法治・民主などの面で現代文明に追いつくことであり、もう一つは、香港が民主を実行し、民主体制の下で香港人による香港統治をおこなうことである。

香港における共産党拒否の思想の流れは、一九八九年の北京の民主化運動で根本的な変化が生じた。香港市民は中国の民主化運動に対し広範な同情と支援をおこなったが、その主たる原因は、中国の民主化運動と香港の共産党拒否の考え方が一つにつながっていたからだ。香港人が（熱い）感情を込めて民主化運動を支援したのは、中国の命運がとりもなおさず香港の命運であり、中国が民主主義を実現して初めて九七年に（祖国）回帰する香港人の自由・法治・人権が保障されると考えたからである。

共産党を拒否する思想の流れのなかで、大中華民主派が台頭し主流を占めた。国際派や英国の統治延長を求める派、連邦派はすべて跡形もなく消えてしまった。

「萬家墨面没高萊、敢有歌吟動地哀。心事浩茫連廣宇、於無聲処聴驚雷。」――魯迅

万家、墨面（ぼくめん）にして高萊（こうらい）に没（ぼっ）し、
敢（あ）えて歌吟の地を動かす哀（かな）しみ有らんや。
心事は浩茫（こうぼう）として広宇（こうう）に連なり、

無声の処（ところ）に於（お）いて驚雷（きょうらい）を聴く。[*5]

一九八九年の「六・四」以後、大陸は「萬家墨面」（人民大衆が憂いに沈み、憔悴した面持ちで生活している）の政治低気圧のなかにある。しかし「於無聲処」（まったく物音がしないような場所）にあっても、香港にはまだ「驚雷」（とどろきわたる雷鳴）が残っている。

残酷な弾圧、趙紫陽の失脚、民主化運動の失敗。香港における共産党拒否の考えは重大な挫折を被ったが、大中華民主派はすでに共産党を拒否する思想の流れの主流に居座っていた。香港の回帰が避けられなくなった情勢下で、主流派は香港での「六・四」記念活動が中国大陸の民主主義の発展を推進できると信じた。毎年「六・四」を記念して灯される無数の蠟燭（ろうそく）の光、「民主中国を建設しよう」とのスローガン。主流派の共産党拒否の考え方は香港を中国民主化の動力にするとともに、その松明（たいまつ）をのちの世代へと引き継ぎ、彼らに「六・四」の悲情と民主化運動の歴史的経験を注入しようとした。

共産党拒否の主流派の意識は、中国に民主主義がなければ香港でも民主主義をもつのは難しい、香港の自由の叫びは中国の民主化を推進するだろうというものだった。香港と中国の命運は連結しており不可分なのだ。

二〇〇三年のＳＡＲＳ（サーズ）（重症急性呼吸器症候群）の大規模感染や香港特別行政区基本法第二

三条の立法化（すなわち国家安全条例草案の立法化[*6]）で、香港人は中国と香港の融合に対する恐怖をもちはじめた。五〇万人の大規模デモは、二三条の立法化を撤回に追い込んだ。

これはたんに、香港人がいったん決意すれば中央の巨大な力に対抗できることを示しただけでなく、①香港人が法治の保障に守られた自身の権利を堅持しさえすれば、大陸の人たちの命運と完全に異なる道を歩むことができる、②大陸の人たちは国家安全法の下で権利をもたないが、香港人は二三条立法化に反対する状況下でも恐怖なく権利も保障されている――を示した。

二〇〇三年の大規模デモの結果、中共は香港への干渉を強めたが、香港における共産党拒否の思想の流れにも新たな変化が生まれた。それは一連の文化保育社会運動（盲目的な自然開発への反対運動）で、英国統治時代の香港の建築物を保存しようという懐旧のなかに、過ぎ去った過去を懐かしく思う意識が潜んでいた。

二〇〇九年は中国と香港の矛盾が激化しはじめた年である。二〇〇三年から始まった大陸観光客の香港への自由行[*7]は、〇九年になると（深圳（シエンゼン）に戸籍をもつ有資格住民が）一回のビザ取得で年間に何度でも香港とのあいだを往来できる個人旅行ビザ（マルチ出入境許可証。中国語で「一簽多行（イーチエンドウオシン）」という）発給にまで発展し、香港人の生活空間はますます狭められ、圧迫感が深刻化した。一三年一月、香港行きのビザ発給は一二〇〇万人に上り、前年同期比で五〇%以上増えた。

二〇〇九年ネットユーザーが発動した高速鉄道反対運動は、その矛先は香港の利益を顧みず、全国の高速鉄道路線を発展させたいとする中国の必要性に、一貫して迎合する特区政府に向けられたものだった。そのときから、中港融合に反対し、大陸の全面的な香港侵蝕に反対する社会運動がたえまなく勃発し、イナゴ[*8]反対、「双非児童[*9]」反対、新界東北の開発反対[*10]、水貨[*11]反対、粉ミルクの争奪戦反対、国民教育反対などが連続して出現した。

陳雲（Wan Chin）の『都市国家自治論[*12]』が出版され、香港の自治運動が出現したほか、「七・一」（香港特別行政区成立記念日）のデモでは数年連続して龍獅旗（りゅうしき）（英国統治時代の香港を代表する旗）が出現、注目を浴びた。都市国家自治論と香港の自治運動はいずれも、香港独立を必ずしも求めるものではないが、香港人による民主的な香港統治、全面的な自治を推進したいとする意思を明確に示すものである。

各政党は、たびたび起きる社会運動に姿を現すことはなく、本土民主派がすでに台頭し、各種ネット上で，とりわけ若い人のあいだではその主張が主流となっていることをほとんど感じていないようだった。本土民主派は必ずしも「六・四」を排斥するものではなく、彼らも劉（リユウ）暁波（シャオボ）[*13]や艾未未（アイウエイウエイ）[*14]、趙連海（ザオリエンハイ）[*15]を支持し、李旺陽（リーワンヤン）事件[*16]に対しても憤りを示したが、それは主として正義感からであり、大体のところ香港人の境遇と結びつけたものではなかった。つまり、「六・四」の名誉回復を図るか否かは、香港の若い人からすれば自分の利益と関係があると感じるものではなかった。

これと同時に、中国はこの二十数年来、一つ一つ希望の灯を打ち上げたが、その結果はどれも一つ一つ破滅に終わった。中国は特権資本主義によって経済を発展させ、その富は少数の腐敗官僚特権層の手中に高度に集中する一方、他方で（人権派弁護士など）権利擁護者に対する抑圧は一日としてやむことがない。中国は過去二十数年来、たんに政治改革を実行しなかっただけでなく、ますます独裁化している。中国の特権階層が形成した特権資本主義は、中国が政治改革をおこなううえでの構造的な障害となっている。八〇%以上の腐敗官僚はすでに、あるいは現在、家族の財産を海外に移す「裸官」となっている。そして香港は、一部の特権層が富を海外に移す中継地点となっている。

こうした政治構造の下で、香港の報道の自由、法治、廉潔な（クリーンな）政治および企業の調査・登記を含む各種制度はみな、中共の腐敗官僚が家族や財産を移転させるうえでの足枷となっている。それゆえ香港の核心的価値は、中共特権集団の敵とならざるをえないのだ。

大陸の政治構造から見ても、あるいは香港の政治・経済・社会が全面的に侵蝕されている情勢から見ても、さらにはこの数年の本土民主派の台頭から見ても、共産党を拒否する思想の流れはすでに、中港両地の民主化が不可分であるとの意識から徐々に抜け出している。

香港の政党が広範な市民から棄てられることなく支持を得ようと考えるなら、必ずや本土（香港）の利益を勝ちとるすべての社会運動に身を置かねばならず、さらに「中国が政治改革をおこなわなければ香港には民主主義がない」との、実際から遊離した主張から抜け出なければならない。

本土（香港）に立脚した闘争は、民主主義を実現する機会をもてるだろうか。率直に言えば、その機会は卵をもって石を打つほど小さい。だが、もしも中共が民主主義を賦与するのを待つとしたら、それはその機会は一〇〇％ゼロと言ってよい。卵をもって石を打つような闘争でもっとも重要なのは、われわれが自由・法治・民主という現代文明の道徳の高みに立っていること、われわれ一人ひとりが自由の魂をもっていること、さらには、われわれの闘争の対象が硬直した体制であることをはっきりと示すことである。

セントラル占拠（占中）の発起人となった学者は、もともとみな大中華派だった。占中は、彼らがもはや北京から派遣されてきた説客（ぜいかく）（弁舌や礼法に優れ、各地をめぐって領主の外交政策などに影響を与えた人物。遊説する弁士）と交流することはなく、それぞれのレベルで共産党を拒否する本土（香港優先）思想に身を投じた。本土をめぐる主張で、各派のあいだには依然として意見の相違や隔たりがあるが……。

（二〇一三年四月一七・二〇日）

訳注

1　労思光（一九二七―二〇一二）。中国湖南省出身。生涯独裁に反対した反骨の知識人。北京大学哲学系に進学するも、国共内戦に敗れた国民党政権の台湾撤退にともない、父母とともに台湾に移住。台湾大学哲学系卒業。白色テロの時代、国民党の独裁に反対し自由と民主を主張したため当局ににらまれ、やむなく香港に移住。その後、独裁政権反対の姿勢を生涯貫き、共産党が下野しないかぎり中国大陸には戻らないと宣言。台湾で戒厳令が解除されたあと台湾の各大学で教鞭を執った。香港中文大学哲学系教授、台湾中央研究院院士。中国語圏の哲学界ではもっとも尊敬を受ける哲学者の一人。香港の将来問題にも関心をもち、李怡らに請われて共同発起人となって「香港前景研究社」を組織した。代表的な著作に『新編中国哲学史』三巻四冊（台北、三民書局）がある。

2　劉迺強（ラウナイキョン）が一九八三年に創設した政治団体。九四年香港民主同盟と合体して民主党に。

3　司徒華（一九三一―二〇一一）。香港の政治家、教育家、作家。香港市民愛国民主運動支援連合会（略称：支連会）主席。香港民主派の重鎮で、「華叔」（華おじさん）の愛称で慕われた。

4　許家屯（一九一六―二〇一六）。当時香港における中国共産党幹部のトップで、党香港・マカオ工作委員会書記、新華社通信香港支社長を兼任。江蘇省出身。中共江蘇省委第一書記、中央顧問委員会委員を歴任。一九八九年の天安門事件で民主化に同情的な立場をとったことから身辺が危うくなり、九〇年に事実上米国に亡命。二〇一六年ロサンゼルスで病死。享年一〇〇歳。著書に『許家屯香港回憶録』（邦訳『香港回収工作』上・下巻、ちくま学芸文庫）。

5　伊藤正文訳（『魯迅』全集九、岩波書店）によると、その意味は、「人民たちは圧政や侵略のために、憔悴した面持ちを浮かべて荒涼たる境遇で生活している。このような情況では、どうして大地を揺るがすような哀しみの歌声など起こり得ようか。私は胸のうちにはてしなく湧き起こる感慨を、広大な中国の人民たちの想いと同質化し、まったく物音がしないような場所であっても、その地下に轟く霹靂の声にひたすら聴き入るのである」「萬家」の句、「万家」は多くの家、ここでは人民大衆を指す。「墨面」は『淮南子』に「美人は挐首（蓬頭乱髪）墨面して容づくらず」とあるように、化粧しないばかりか、塵や垢にまみれたままのきたない顔という意味があるが、それ以外に、血色のさえない黒ずんだ顔とか、憂いに沈んだ顔などの意がある。「高莱」はヨモギやアカザなどの雑草、のちには野草の意となった。「没」は出没の意。この句は、国民政府の弾圧政策や日本の帝国主義侵略のため、住居を失い、憔悴疲労して荒野で生活する人民の姿を描いた。「於無」の句、『荘子』「天地篇」に「冥冥に視、無声に聴く。冥冥のなか、独り暁を見、無声のなか、独り和を聞く」と見える。表面的には平穏静寂の境と見られる地下には、凄まじいダイナミズムが秘められていることを語ったもの。「驚雷」はとどろきわたる雷鳴のこと（詳しくは『魯迅』全集九を参照）。

6　香港では返還以降、香港特別行政区基本法（以下、基本法）が施行されたことを除いては、法律は従来の内容を保ってきた。しかし、国家安全の分野にかぎって、基本法第二三条は、返還後、香港みずから国家安全関連の法を制定すべきことを義務づけている。それがいわゆる基本法第二三条の立法化問題である。二三条が立法化を義務づける犯罪類型は、反逆、分裂、反乱扇動ならびに外国政治組織および団体の活動および関係樹立である。このうち、外国政治団体に関しては、①「外国の政治的組織または団体の香港特別行政区における政治活動を禁止」する（二三条）という外国政治団体の香港の活動を禁止する内容と、②「香港特別行政区の政治的組織または団体の、外国の政治的組織または団体との関係樹立を禁止」する法律をみずから制定しなければならない（二三条）、という外国政治団体と香港政治団体との関係樹立を禁止する内容がある。

とくに問題となったのは後者の内容だ。なぜなら、基本法第二三条の立法化にあたり、香港政府は、「外国政治団体」のなかに、(1)「大陸において国家安全の保護の理由から禁止されている団体」を含め、(2)それと関係をもつ香港の団体を香港で禁止することを提案したからである。基本法第二三条の立法化による取り締まりが懸念される法輪功や香港市民愛国民主運動支援連合会（支連会）はもとより、どのような行為が大陸の団体と関係することになるのかわからないために、香港の多くの団体を巻き込みながら同提案は、「一貫して、条例草案をめぐる議論の中心にあった」。

外国政治団体に関する文言は、一九八九年の天安門事件直後に基本法草案に追加されたという経緯がある（「社会体制と法」第一〇号、二〇〇九年六月。廣江倫子論文より引用）。

7　提案が二〇〇三年六月、議会に提出されようとしたとき、民主派は、第二三条立法化が香港の民主化や言論・宗教の自由に与える影響を懸念し、たびたびデモをおこない（主催者発表で最大五〇万人）、集会を開き、法案の〝撤廃〟にまでもっていった。政府側は六月二一日夜に「政府は改正作業を完全に停止した。来年七月に廃案になる事実を受け入れる」という声明を発表したが、廃案とは発表しておらず、二〇二〇年七月までに法改正を再開する可能性がある。その当時、行政長官だった董建華（初代長官）は政権がレームダック化し、二年後の〇五年三月、健康問題を理由に辞任した。

7　中国大陸住民が個人として香港・マカオ地区へ旅行することを許可する計画で、二〇〇三年七月から実施。一般的な状況下では、計画範囲内にある都市の住民は個人旅行ビザ（G）を申請すれば香港へ最長七日間旅行できる。ただ自由行は「諸刃の剣」で、大陸からの旅行客がもたらす消費は香港にGDPの増加をもたらす一方、その増加はさまざまな問題を生んだ。

8　中国大陸の妊婦が、二〇一〇年ごろから香港に越境して子供を産みつづけていることや、大陸観光客の行儀の悪さなどから、香港人が彼らを軽蔑してつけたネーミング（中国語で「蝗虫（ホワンチョン）」）である。保守派として知られる孔慶東（コンチンドン）・北京大学教授は怒り、ネット動画ニュースサイトの番組で「一部の香港人は犬だ。こいつらは英植民地時代の走狗であることに慣れきった奴らだ」と猛烈にやり返し、「イナゴvs犬」論争までが一時起きた。

9　両親が大陸の人間でも香港で生まれた子を指す。こうした子供なら一家全員が香港の居住権が得られるとの判決が出たことで、公立病院のベッドが大陸からの妊婦でほぼ占領されることになった。そうした子供たちの多くは居住地を中国内に構え、毎日往復五時間もかけて香港の学校へ越境通学している。香港教育局の統計によると、越境通学児童の数は、一九九七年の時点では五〇〇人程度だったが、二〇一三年現在、三〇倍以上の一万六〇〇〇人にも上り、就学児童の急増に学校の受け入れ態勢が追いつかないという。

10　香港特区政府が諮問中の開発計画の一つ。その内容は古洞北、粉嶺北および和坪輋・打鼓嶺の農地を新界東北新開発区に画定し、住宅・商業用地とする。広さは計七八七ヘクタール。二〇三一年の完成時には五万九九〇〇戸、一七万二〇〇〇人が入居できるとされる。

11　正規輸入品のことを「行貨」というのに対し、非正規ルートで輸入した商品を指す広東語。現在は、旅客が個人使用のために一定限度内の品物を携帯して入国できる制度を利用し、最初から国内市場で転売し暴利を図ろうとして国内にもち込んだ商品を指す。

12　原題は『城邦自治論』（天窗出版社。二〇一一年）。陳雲は中国文学者で民俗学者。ギリシャ、ハンザ同盟、ヴェネツィアなど都市国家の歴史とその意義を世界史および香港の歴史文脈のなかで詳細にとり上げ、繰り返し都市国家としての自治運動を提唱している。ただこの自治運動は「独立運動」ではなく、陳の狙いは香港土着のエスニック意識を呼び覚まし、そのうえに香港の利益優先、香港の文化保持を貫くことにある。

13　劉暁波（一九五五―二〇一七）。中華人民共和国の著作家。元北京師範大学文学部講師。天安門事件直前、他の知識人三名とともに、学生たちの断食抗議に参加。人民解放軍が天安門広場に突入する寸前、学生たちに武器を捨てるよう説得する一方、軍と交渉し、「四君子」と呼ばれた。事件後に「反革命罪」で投獄され、九一年の釈放後も出国せずに引きつづき文章を発表し、天安門事件の殉難者の名誉回復と人権保障などの民主化を呼びかけた。二〇〇八年、中国の大幅な民主化を求める「零八憲章」のおもな起草者となり、再び中国当局に身柄を拘束される。一〇年「国家政権転覆扇動罪」により懲役一一年と政治的権利剥奪二年の判決が下され四度目の投獄。二〇一〇年にノーベル平和賞を受賞。服役中の一七年七月、肝臓癌のため中国遼寧省瀋陽の病院で死去。

14　中国の現代美術家・キュレーター・建築家。父親は著名な詩人の艾青（アイチン）。中国の現代美術がまだ始まったばかりの一九八〇年代から美術家として活躍し、中国の美術および美術評論を先導して世界各地で活動してきた。一方で、人権活動や社会運動にも力を入れ、歯に衣を着せぬ政府批判でも知られる。二〇〇八年の北京五輪でメイン会場となった北京国家体育場（愛称「鳥の巣」）のデザインに携わったが、中国指導部への批判をおこなったことで冷遇されるようになった。一一年反政府派に対する取り締まりの最中に八一日間拘束された。一五年ベルリンへ移住。一八年八月には自身が作品制作に使用していた北京郊外にあるスタジオが取り壊された。

15　北京出身。子供が有毒物質メラミン入りの粉ミルクを飲んで腎臓結石の重い障害を負った。ウェブサイト「結石宝宝之家」を立ち上げ、同様の腎臓結石患者をもつ父兄に対し、河北省石家庄の粉ミルク製造企業相手に集団賠償訴訟を起こそうと呼びかけた。しかし結果的に有罪となり、懲役二年半の判決を受けた。二〇一一年四月、刑務所でハンガーストライキ中にミルクの摂取を強要され死亡したとされる。

16　中国の民主活動家、李旺陽が二〇一二年六月、入院中の湖南省邵陽（シャオヤン）の病院で不審死した事件。享年六二歳。邵陽で工場労働者だった李は、一九八九年の天安門事件につながる民主化運動に参加し、「反革命扇動罪」などで合計二二年の刑に服し、約一年前に釈放されたばかりだった。香港では李の死の真相究明を求めるデモが呼びかけられ、二万五〇〇〇人が参加した。

2 香港の「本土意識」はいつ生まれたか

返還から一〇年、香港人のプライドが消失した

香港の返還から一〇年たった二〇〇七年、国際社会と世論は返還後の経済、政治、社会とりわけ自由、法治、民主などの面を検討したほか、一部の人は香港人の身分のアイデンティティが返還後変化したのかどうかにも関心を寄せた。

長年来、香港の世論調査は市民に対し、いっそのこと返還以前の植民地下の人間に戻りたいか、それとも中国人あるいは中華人民共和国香港特別行政区の人間であることを自覚しているか否かという質問を提起した。

北京から見ると、これは政権が（英国から中国に）返還されたものの人心が回帰したのかどうかという問題である。二〇〇七年、行政会議の招集人梁振英は文章のなかで、現在多くの香

港市民の人心がまだ回帰していないのは否定できないと述べた。特区の曽蔭権（ドナルド・ツァン）行政長官は、返還一〇年にあたり「香港家書」（香港公共放送ＲＴＨＫの時事番組）で発表した意見のなかで、この一〇年来、香港人の国家に対するアイデンティティはますます強くなっていると表明した。

しかし、香港人の人心が回帰したのかどうかや、香港人の国家に対するアイデンティティは究極のところ、一般市民にとってどういう意義をもっているのだろうか。

返還前、香港市民は自分が屈辱的な、（土地も時間も借り物という）居候（いそうろう）の植民地人であると感じていたのだろうか。われわれはみずからの心に問うてみたが、それはなかった。香港人のあいだで自分が英国人であると感じていた人はきわめて少数だった。

英国は返還前、これまで香港におけるみずからの支配的地位を宣伝したことも、ひけらかしたこともなかった。香港にとって英女王誕生日がもつ意義はたんなる祝日にしかすぎない。英国国歌がテレビで流されることもきわめてまれで、香港市民の圧倒的大部分はもともとの歌詞（英語であれ、あるいは中国語訳であれ）を歌うことができず、ただ一言ユーモラスな「個個揸住個兜」（God Save the Queenの広東語音訳。意味は「一人ひとりが物乞いのお椀をもって」）を歌えるだけである。香港市民がもしも「愛国」を論じるとしたら、「愛英国」はまったくなく、いくぶんか「愛中国」はあった。しかしそれは民族のナルシシズム意識にもとづくのではないとしたら、民族の憂患意識（安定した境遇にあっても差し迫った危険と災難を忘れないという危機感）にもとづくものであった。

身分のアイデンティティについて論じると、香港人は前世紀の七〇年代初めに台頭したアジアの四小龍の一つとして、香港に対する一種のプライド、アイデンティティを徐々にもちはじめた。中国大陸と比較し、香港はより現代化し、ずっと豊かだった。英国と比較しても香港経済ははるかに強かった。そのとき香港人は英国を「一人ひとりが物乞いのお椀をもって」とあてこすった。

香港人は外国に行くと、外国人の前では自分が英国人とは認めず、また海峡両岸（中国大陸と台湾）の中国人とも認めず、あくまで香港人だと自認した。それは植民地主義者の圧迫を受けた屈辱的な香港人ではなく、香港人みずからの奮闘によって成功したプライドある香港人だった。英国は香港に対し、疑いもなく良好な法律制度および「無為而治」（無為をもって天下を治める。人に干渉を加えないでその才能・知恵を発揮させること）に近い政府体制を提供し、香港市民は公平な法律制度の下で各人が大いにその力量を発揮した。こうした法律の保護下でつくりだされた繁栄はこの数十年間、中国大陸でなかっただけでなく、過去に行き過ぎた福利主義を実行した英国においてもいくぶん欠けたものだった。

返還後、香港人の身分のアイデンティティを語る場合、それはわれわれがみずから英国人、植民地人、特区人あるいは中国人かと自問することではない。それはなんら意義をもたず、多くの香港市民は考えたこともない。返還後問いかけるべきは、われわれがもともともっていたあの香港人としてのプライドや香港に対するアイデンティティが増強され、保持されたのか、それとも消滅したのかである。

経済的には、長年の衰退のあと特区政府の要人は香港が大陸経済の離陸という「施し」に依拠すれば利益が得られると信じた。政治的には普通選挙がますます遠のいたのは言うまでもなく、目にするのは香港の二代の行政長官が中国指導者の前で見せるあの卑屈な振る舞いであり、その結果、われわれ香港人は一段と劣る存在となりはてた。

国家に対するアイデンティティは、香港の大部分の人はこれまでもたないか、あるいはきわめて希薄だった。国家へのアイデンティティがなくともわれわれは暮らすことができる。香港に対するアイデンティティは香港人のプライドとして存在したし、たえず増強されたこともあったが、返還後「一国」の強大な勢いの下で逆に弱まり、衰えた。これこそが香港人の悲哀である。

（二〇〇七年六月二六日）

香港市民は基本法を守るために闘うべきだ

基本法の条文および香港法院（裁判所）が基本法を解釈したさいの独立した司法権が現在、荒々しく踏みにじられている。いまこそ香港人が立ち上がって基本法を守るべき時である。

返還以降、世論は特区政府の施政に対し多くの批判を投げかけ、香港政府のさまざまな計画が自滅ほどではないがめちゃくちゃで手に負えないとか、政界・経済界が「突然愛国」となりメディアも大部分が自己審査したとか種々ある。しかし大部分の国際メディアは、香港が「元の様相」を保持していると認め、市民の圧倒的多数も政府に対し多くの恨み言をもっているが、基本的には香港での生活が返還前とあまり変わらないと考えていることがある。

その原因は何か。答えはいたって簡単である。それは香港には香港の元からの様相を守る基本法があるからだ。この基本法は香港人の自由や人権を保障している。だが基本法だけでは不十分である。たとえば、中国の憲法にも人民が言論の自由、デモや集会の自由を有するとはっきりと記載されているではないか。それゆえ、より重要なのは司法の独立である。基本法は香港が独立した司法権をもつと明確に述べており、香港の法院は返還後も基本法にもとづき判決を下し、自治の範囲内で基本法の条文を解釈できることになっている。

一九九九年一月二九日、香港終審法院（最高裁）の李国能（アンドリュー・リー・クォック・ノン）首席大法官（判事）は、判決のなかで次のように述べた。

「他の憲法と同様、基本法と合致しない法律は無効である。……合致しない、あるいは無効である問題が出現したとき、特区法院は審理ができる。それゆえ特区法院が基本法の条文にもとづき、全国人民代表大会（全人代。国会に相当）あるいは全人代常務委員会の行為が基本法に合致するか否かを決定できる」

行政や立法機関の趣旨にもとづくのではなく、法律の条文にもとづき判決を下すのは、独立した司法の根本的要求であり、法治社会の基礎でもある。だが人治の中共当局からすると、それは極悪の大罪であり、それだからこそ全人代常務委員会は法解釈をもって終審法院の香港居留権に関する判決を否定した。

しかし、香港の大法官たちはその後も法律への忠誠に執着し、粛々と基本法の条文にもとづきすべての案件を審理した。一連の案件のなかには、二〇〇九年の「立法会の権力および特権法」に関する解釈、民間の放送局に関する判決が含まれ、いずれも立法会による権力の制約や市民が自由に表明する権利を擁護した。

市民の人権を保障する基本法と、法律条文および判例をもって案件を審理する独立した法院は、香港人のもっとも根本的な法的権利を構成するものであり、香港が元からの様相を保持できるカギである。

公平・平等の法的権利は社会に平等な機会を提供した。社会主義は分配の平等を追求し、実行した結果、「一部の動物は他の動物よりもさらに平等[*1]」となった。法治社会が追求するのは機会の平等であり、機会が平等であって初めて正義を現実化し、人々の自由な才能発揮を促し、社会の進歩をもたらすことができる。

だが香港が「元からの様相を保持する」ことを可能にする基礎は、近年しばしば踏みにじられてきた。北京清華大学の程潔（チョンジエ）副教授はある文章のなかで、二〇〇三年、（香港で）五〇万人が第二三条に反対して街頭デモをおこなったのち、中央はすでに「河の水は井戸水を侵さない[*2]」との態度を改め、基本法が定めた高度の自治に積極的に介入することとなったと述べた。賈慶林（ジアチンリン）（当時、党中央政治局常務委員兼全国政治協商会議〔政協〕主席）、曹二宝（ツアオアルバオ）（当時、中央政府駐香港連絡弁公室〔中連弁〕研究部部長）、黎桂康（リーグエイカン）（当時、中連弁副主任）も、北京が「第二の管理統治隊列[*3]」および香港特別行政区政協会議を通じて、香港の問題に介入する意図を表明した。

さらに深刻なのは二〇〇八年、習近平国家副主席（当時）が香港を訪問したさい、「行政、立法、司法の三つの機関は互いに支持しあわねばならない」と述べたことだ。中連弁の張暁明（ジャンシャオミン）副主任は、マカオの行政、立法、司法が相互に協力しあっている体制を高く評価した。もし司法が行政に協力して判決を下すなら、それは基本法が規定する独立した司法権が中国の特色ある司法に変質することになる。

（二〇〇九年一二月一九日）

香港の「優位性」を保持しつづけるためには

二〇一〇年、温家宝（ウエンジアバオ）首相は記者会見で、香港特区行政長官と香港人が数年にわたり謎解きをして答えの出なかった「深層レベルの矛盾」について謎を解き明かした。もともとこの深層レベルの矛盾は、（香港における）五つの面について言及したもので、そのうち経済と政治改革の両方に配慮するというものだった。だが、彼が述べた第四点は「順序立てて漸進的に民主政治を発展させる」というもので、これがまた善良な願望をもった一部の人たちに夢を抱かせ、彼らは特区政府が今後政治改革に対しいくらか譲歩するのではないかと考えた。

民主主義の問題についてすでに筆者は何度か論じてきたが、今日は温首相が提起したいくつかの深層レベルの矛盾について議論してみたい。温首相が提起した第一の矛盾は、いかにしてすでにもつ優位性を発揮し、引きつづき香港の金融、海運、貿易センターとしての地位を保持・発展させるかであり、第二はいかにして香港の特徴を結合して優位な産業、とりわけサービス業を発展させるかである。

一番目、二番目に上がったのは、香港が「すでにもっている優位性」と「香港の特徴」であり、新しく切り開いたものではない。この「すでにもっている」ものとはどういう優位性なのか。どういうものが香港に、金融、海運、貿易、サービス業の優勢な地位を与えているのだろうか。

経済界のリーダーや、あるいはこうした業界の従業員にちょっと尋ねてみれば、彼らはみな、優位性は香港の法治や自由から来ていると答えることは間違いない。筆者が補足すれば、優位性は、市民が香港人である身分に対してもっているアイデンティティから来ているのだ。

香港の法治は社会全体の安定の基礎である。李国能（首席大法官）が指導する多くの法官の法律堅持に依拠し、香港大律師公会（法廷弁護士団体）の法治に対する擁護に依拠し、圧倒的多数の市民の長期にわたって培われてきた法を守る伝統に依拠することが、返還後の香港の「基本的不変」の基礎である。しかしながら中共の法解釈や香港の法治に対する勝手気ままな批判は、すでに香港の法治に衝撃を与えている。北京は「法」が香港において最大であり、「法」の解釈権をもつ法官がもっとも権威があることを知るべきである。香港の大法官は中国の「最高人民法院院長」のように、ただひたすら中共中央政法委員会という小姑（こじゅうと）の命令に従う存在ではない。

香港の第一の深層レベルの問題が矛盾となっているのは、中央の法解釈と上意に迎合する連中が、ややもすれば中央に法解釈を求めることであり、中央が香港で法に従っておこなわれている政治活動を軽々しく「基本法」違反だと言うことである。これは香港の「すでにもっている優位性」を脅かすものだ。もしも親中派人士が香港人は「基本法」に違反していると感じるなら、香港の法院に対し司法の見直しを申請したほうがよい。

次に自由は「香港の特徴」という点である。北京当局が「言論の自由」とは何であるかをはっきりさせ、「言論」と「事実」の分野を見きわめ、デモ行進など自由表明に対し尊重することを希望する。釣魚島（日本名：尖閣諸島）の領有権を主張する人たちが、（香港駐在）日本総領事館に赴き抗議文を手渡したとき、日本は釣魚島が中国領土であると認めていないにもかかわらず、総領事館側は人を出して手紙を受けとった。香港では中連弁は（草木がみな敵兵に見えるがごとく）つまらぬことにびくびくしている。その原因はただ中連弁がどうしても人を派遣して手紙を受けとりたくないことにあり、このことはすなわちデモ参加者の自由表明を尊重しないということに尽きる。

北京当局が自由表明に対し横柄な態度をとれば、その結果、特区政府はデモ参加者が中連弁に赴いて手紙を渡すのを阻止するために、多数の警察官を出動させざるをえなくなる。さらに加えて、香港の言論の自由も、中共の統一戦線工作によってメディアは自己審査を余儀なくされる。自由が色あせてもなお「香港の特徴」を保持できるだろうか。

数年も前の報道だが、中国大陸のある調査では、全国各地のなかで消費者の満足度がもっとも高い地区（チャンピオン）は香港だった。調査にはホテル、ショッピング、観光景勝地、交通、空港サービスの五項目が含まれ、香港が獲得したポイントは、大陸のすべての省・市・自治区はおろかマカオ、台湾をもはるかに引き離した。これらはすべて温首相が強調したところのサービス業である。

筆者は、香港のサービスの態度が全国各省・市・自治区を普遍的に上回っているもっとも根本的原因は、長期にわたり形成されてきた香港人というこの身分に対するアイデンティティにあると考える。香港はすでに（中国に）返還されたが、われわれは外国に行ったさい、どこから来たのかと聞かれると、中国ではなく香港から来たと答えるであろう。問いかけた相手がどのような国籍の人であろうと、われわれは香港の中国人と答えるであろう。ある香港の若い女子は自著のなかで、次のように述べている。外国に滞在したとき、「香港人というこの身分に執着した。つまるところ、われわれが呼吸する空気、足を踏み入れる土地はすべて（中国大陸と）明らかに違う気息をもっているのだ」

温首相が言うところの第三点は、「香港が中国大陸に隣接する優位性を利用し、香港と珠江（ジュジアン）デルタの連携をいっそう強化する」ことである。大陸と隣接していることはもとより優位性ではあるが、矛盾は香港の発展と大陸がリンクしたとき、いかにして香港人の身分を保持するかにある。若者が高速鉄道建設に反対するおもな理由は、高速鉄道建設が香港自身の必要からではなく、ただ中国大陸の高速鉄道網に協力するためであるからだ。

こうした北京のほうばかりを見る政策によって、香港人は身分を失い、各業種、とりわけサービス業において香港人の身分を保持することを光栄とする伝統を失った。

温首相が述べたのは深層レベルの問題だが、なぜそこに矛盾があるのか。矛盾は香港人と大陸の高官とでは価値観が正反対な点にある。また矛盾は、中央が意識的であれ、あるいは無意識的であれ、香港が「すでにもっている優位性」にたえず損害を与え、「香港の特徴」を破壊していることにある。

（二〇一〇年三月一七日）

大陸からの「悪貨」が良貨を駆逐している

近年、大陸の旅行団が香港で騒ぎを起こすのは春節（旧正月）の恒例のニュースとなっているが、それはスキャンダルの模様が年々異なっているにすぎない。香港の入境処（入国管理局に相当）は、大陸の人間が香港に来て自由に行動するのを抑制する権限をもたないが、そのことはもっぱら大陸の人間を相手に商売をする一部の特殊業者からすれば、疑いもなく富を築く道である。

だが香港の大多数の市民からすれば、人数に制限のない自由行はすでに災難となっている。春節の期間中、香港の人々はもし旅行に出かけず、香港にとどまるなら、家のなかでぼっとして過ごす以外、行くべき所もほとんどない。観光スポットや遊園地は大陸の人間で水も漏らさぬほどすし詰め状態で、ショッピングモールの女性トイレには、二〇～三〇分待ちの長い行列ができる。……春節直前、粉ミルクの欠乏や大量の水貨客（大陸での転売目的で日用品を買い占める運び屋）の横行が起きたばかりだが、春節中に一時ストップした日用品爆買いの災害が春節後再びやってくると思われる。

自由行はある程度香港に活気をもたらしたが、同時に香港を変えることにもなった。香港旅遊発展局の統計によると、二〇一二年香港を訪れた観光客は、前年比一六％増の四八六一万五一一三人だった。そのうち七二％は大陸からの観光客で、増加率は前年比二四・二％と、他の国・地区からの観光客が全体として減少したのとは対照的だった。

筆者には海外から香港に来た数人の友人がいるが、彼らが香港に対し抱いた印象は押しなべてひどいものだった。いわく、ホテルの部屋は寝返りを打つのも難しいほど狭く、商品の値段は並外れて高く、街は大陸人でごった返し、ホテルのサービスや一般の道行く人の態度もあまり優しいとは言えないなどなど。彼らの大部分は、もう二度と香港に来たいと思わないと語った。状況は一九九七年以前とは完全に異なる。その当時香港に来た友人たちはみな、香港のサービス、効率、人としての親切さに好印象をもった。

先月末、蘇錦樑（グレゴリー・ソー）商務局長は立法会で、香港は開放的な経済システムで、一貫しておもてなし文化をもって外来の客人（近年激増する大陸からの観光客を含む）を接待してきたと答弁。日増しに増加する観光客に対処するため、ホテルや観光スポットを含む観光施設を増やす必要があるとの考えを示した。これに対し林大輝（ラム・タイファイ）議員が「将来、香港の住民にどのような観光設備を提供できるのか」と質問したところ、蘇局長は観光スポットをめぐる討議は海外および大陸からの観光客のみに限定されると指摘した。これを聞いた林議員は怒りのあまり（広東語で）こう述べた。

「それはつまり、以前、中国人と犬は入るべからずと言われたが、今後は香港人を観光スポットに入らせないということか！」

観光スポットも事実上、大陸以外の他の国・地方から来た観光客を排除した。なぜなら、海外観光客が見たいと思った香港の古い建築物や遺跡がすべて取り壊されるか、あるいは特徴のない商業ビルに改造されてしまったからだ。

ウェブページでは一部の読者は次のようなメッセージを残した。

「香港はいままさに国際都市から大陸の観光客にのみ奉仕する大型のショッピングモールに変わりつつある。われわれにはもはや文化も伝統も特色もなく、政界や経済界は飲鴆止渇（毒酒を飲んで渇きを止める。つまりその場しのぎの非常手段をとること、後先のことを考えないこと）の方式で香港を死地に引きずり込んでいる。プロレタリア市民の生存権、生育権は真っ先にその矢面に立ち、侵略を受けている」

われわれは自由経済を尊んでいる。ハイエクは「自由とは法治の下で、人の行動がすべての人に同じように平等に適用される抽象的なルールの制限を受けるのみであることを意味している」と述べている。したがって、われわれはもっぱら大陸の観光客のために制限を設けることはできない。

だが経済学にもグレシャムの法則「悪貨は良貨を駆逐する」との有名な定律がある。それは、法定の重量よりも低いか、あるいは錆付いた貨幣「悪貨」が、流通分野に流入したあと、人々はより実質価値の高い「良貨」をしまい込み、最終的には良貨が駆逐され、市場に流通するのはただ悪貨のみであることを意味する。

こうした現象はまた現実社会にも派生する。たとえば平日バスで出勤・退社する場合、ルールを守って列をつくり順番待ちする者は、バスが次から次へと来ても乗車できず、秩序を守らない者は一足先に乗車する。その結果、列をつくって順番待ちする者はますます少なくなり、最終的には先を争って喧嘩するような状態になる。

香港が大陸の観光客向けにのみ奉仕する大型ショッピングモールとなれば、海外の観光客は中に入れずにはみ出してしまい、香港人が休日に（買い物のために）街に出ようと思っても大陸の観光客ともぶつかりあうような状態になる。社会は秩序を守らない一群の人たちの侵入で、市民も忍耐を失い、暴力的になってしまう。

自由には限界がある。その限界はみずからの自由獲得のために他人の自由を侵犯できないということである。「フランス国民公会宣言」は「公民の自由は別の公民の自由を境界線とする」と指摘している。ある地区の公民の自由が別の地区の公民の侵入を受けたとき、当該地区の公民は立ち上がってみずからの自由を守る自由がある。

春節に大陸の旅行団が騒ぎを起こすことは、香港が直面している主要な矛盾は中港の矛盾であることを再度われわれに告げている。過去一年間、どのような紛争（「国民教育」反対や水貨反対を含む）であれ、つまるところはみな中港の矛盾である。香港というこの良貨を守るために立ち上がったのは、いずれも政党の背景をもたない青年や中高校生、社会人である。各政党はこれまでの社会運動のなかで跡形もなく姿を消した。彼らはただ選挙のときにのみ（自己の立場、政策を）主張するだけである。

香港の命運に真に関心をもっている人たち（過去に中国共産党と政治改革の交渉をするよう

主張した一部の学者を含む）は、香港のこうした落ちぶれた状態にあって忍耐心を失った。戴耀廷（ベニー・タイ）香港大学法学副教授が提唱した公民の抵抗運動（原注：具体的にはセントラル占拠の計画を指す）は現在徐々に熟しつつある。

中港矛盾のなかで特区政府がとった態度は、梁振英（行政長官）の春節短編フィルム『香港人はこれまで春節に餃子をつくることがあったか？』から啓示を得ることができる。餃子づくりは中共指導者が春節を迎えると庶民の家に行ってやる〝お騒がせ〟指定番組なのである。

（二〇一三年二月一六日）

訳注

1　ジョージ・オーウェルの小説『動物農場』（一九四五年八月一七日刊行。邦訳は、開高健訳、ちくま文庫を参照）に出てくる言葉。一部の人間、一部の集団の特権化を合法化する表現。小説は、とある農園の動物たちが劣悪な農場主を追い出して理想的な共和国を築こうとするが、指導者の豚が独裁者と化し、恐怖政治へ変貌していく過程を描いている。雄豚のナポレオンとその一派の豚は、自分たちが権力を握ると早々に人間がおこなう活動（飲酒、ベッドで寝るなど）を始めたが、これらは元の「七つの掟」（動物はベッドで寝てはならない。動物はアルコールを飲んではならない。すべての動物は平等であるなど）ではっきりと禁止されていた。しかしナポレオンらは違反しているという告発から自分たちが免れるために、いくつかの掟を密かに改定していく。最終的には七つの掟は「すべての動物は平等だが、一部の動物はさらに平等」の一つに書き替えられてしまう。

政治小説としては筆頭の一、二位に挙げられるこの小説について開高健は、「左翼、中道、右翼を問わず、一切の政治的独裁あるいは革命というものの辿る運命を描いている」、そしてふつうは「一〇月革命の栄光とその後の悲惨、スターリン体制に対する簡潔だが完璧な風刺の見取図と目されているが、……毛沢東時代にも通用する」と指摘している。

2　江沢民元国家主席が、天安門事件直後の一九八九年七月一一日に語った言葉の一節をもじったもの。江発言の原文は「私は社会主義をやり、あなたは資本主義をやり、『井戸の水は河の水を侵さない』。私は香港・マカオ・台湾では社会主義をやらない。あなたも資本主義のやり方を大陸にもちこんではならない」。「井戸の水は河の水を侵さない」の元の出典は曹雪芹の『紅楼夢』第六九回による。各自が各自を管理し、互いに相手を侵犯しないという喩え。なぜなら井戸の水は地下水に属し、河の水は地上の水に属する。そこで井戸の水と河の水は互いに通じることがなく、互いに侵犯することもない。香港返還後、中央政府が「一国家二制度、港人治港、高度の自治」を実行するうえでの最高統治原則とされる一方、香港と中国大陸の関係を形容する言葉として使われてきたが、返還からわずか六年で、中国側が相互不侵犯の約束を破った。そこで本文では「河の水は井戸の水を侵さない」との態度を改めたという表現が使われたわけである。

3　具体的には中連弁を指す。香港では中国共産党は登録された「合法政党」としては存在しない。しかし、中連弁は特区政府と中央政府が共同で香港を統治するうえでの重要な勢力となっている。二〇〇三年の「七・一」大デモ（基本法第二三条の立法化に反対して起きた大規模デモ。五〇万人が参加した）のあと、中共の対香港工作部門は香港の内部問題への干渉を強化。中連弁研究部の曹二宝部長が〇八年に「『一国二制度』の条件下における香港の管理統治勢力」のなかで、中連弁がすでに香港特区の「第二の管理統治隊列」となっていることを明かした。今回「逃亡犯条例」改正案に反対するデモ隊が中連弁に押しかけたことに対し、王志民（おうしみん）中連弁主任は、中央の「全面的な管理統治権に対する挑戦だ」と述べ、強い言葉で非難した。

3　なぜ「香港を守る」という意識が拡大したのか

大陸妊婦たちの出産ブーム

大陸の悪質な観光客による香港旅行業への衝撃に続き、大陸妊婦の香港での出産ブームが起きている。これは大陸の悪質な社会が、香港文明をまたも踏みにじるものである。悪質な観光客の事件に比べより深刻で恐ろしいのは、それが単一の事件ではなく、香港社会の生活全体に影響をおよぼすからだ。それは、「一国」下のあの主たる制度の奇形的発展が、香港市民の平穏かつ分に安んじてそれぞれの業を楽しむ生活をたえず侵蝕し、われわれの生活を征服することを意味している。

大陸妊婦の香港での出産ブームはいくつかの面に起因している。

第一に挙げられるのは大陸における「一人っ子」政策である。大陸の憲法は、人民が計画生育（一組の夫婦につき子供を一人に制限する）を実行する義務を負うと規定している。しかし香港の基本法則は住民がみずからの希望で子供を産む権利を規定している。二つの制度が憲法上定める人民の権利には天と地ほどの差異があり、その結果、大陸の人間は当然のように香港に来て出産することになる。

第二は、香港で出生した人はみな香港住民であると、香港の基本法が規定していることである。それゆえ、たとえ私立の病院で子供を出産しても、いったん生まれれば香港住民の身分をもつことになる。出生後身体に何か障害が残るなら、公立病院がすべて引きとり、おかげで公立病院の乳児集中治療部門はパンク寸前の状態になる。

第三に、香港で出生した乳児はすべて香港住民になるというこの法律により、（親である）大陸人は、合法的に香港に移民する活路を得ることである。香港に移住するのは、大陸の人々が独裁政治のコントロールから逃れ、自由な生活と社会福祉への憧れを求めているからだ。

第四に、香港には大陸の人間が香港に入境するのを許可する権限がなく、誰が香港に来るか来ないのか、その権限はすべて大陸政府の手中にあることだ。

香港に来て出産する大陸の妊婦は、近年猛スピードで増えている。二〇〇七年、二万七〇〇〇人あまりの大陸の妊婦が香港で出産したが、二〇一〇年にはその数は四万人にまで増え、彼女たちが産んだ乳児は、香港の公立・私立病院で生まれた乳児の四五%を占めた。

香港に来て出産する妊婦が激増しているのは、大陸社会に原因がある。大陸では近年経済が発展したが貧富の格差がますます大きくなり、多くの人がさらに貧しくなる一方、一部の人はさらに豊かになった。一三億人のうち一%の人が豊かになったとすればその数は一三〇〇万人である。彼らにとって、八万、一〇万の人間が香港に来て出産するという「定食」(セットメニュー)の支払いはまったく問題なしだが、人口わずか七〇〇万の香港人からすれば正常な生活がかき乱されることになる。

大陸社会の悪質化はすでに(香港で)少数の富裕層が香港を押しつぶしている以外に、医療システムがますます規律を失って拝金主義に陥り、診療費は並外れて高く賄賂が横行し、診療価格の規定もなく、医療水準も保障されていないことに表れている。きちんとした基準があり、クリーンな医療サービスを享受するために、大陸からますます多くの人が香港に来て出産しているのだ。

大陸では人をだます気風が流行しており、独裁政治の下では庶民は生存するためにずる賢い人間にならざるをえない。香港の公立病院はこれまで人道にもとづき、入院時に(患者から)先に医療費を徴収することはなかった。その結果、大量の妊婦が香港に来て出産後「走数」(費用を払わず逃走する)現象が出現した。審計署(会計検査院)の報告では、二〇〇五~〇六年末にかけて医療管理局が徴取できなかった医療費の金額は一億三〇〇〇万香港ドル(現在の換算で一香港ドル＝約一五円）に達し、その半分以上は香港以外の地区から来た住民によるもので、うち七〇％は出産のため香港に来た大陸の妊婦によるものだった。

そこで二〇〇七年から、香港以外の地区から来た妊婦が公立病院で出産する場合、まず先に予約し、医療費を支払わねばならないと規定を改めた。その後、大陸の妊婦が救急患者として公立病院に駆け込み、出産するケースは九二％減少し、「走数」は不可能となった。そこで七〇％を超える大陸の妊婦は私立病院を選び、私立病院の「出産ビジネス」が繁盛することになった。

大陸の金持ちによる金銭第一は香港にも蔓延し、香港の医療事業に害毒を与えた。私立病院は出産という金鉱を開き、一方では公立病院から医療・看護スタッフを引き抜くとともに、他方では香港人の妊婦に対し、妊娠初期にまず高額ベッドの頭金（あとで返金されない）を先払いするよう要求した。香港人の妊婦がもっていた医療保障も「一国」のあちらの制度の悪質化によって征服されてしまった。

中国大陸の経済発展は多くの金持ちの台頭をもたらし、財産が増えれば鼻息も荒く、人が多ければ気勢が上がり、社会は質の悪化へと不断に沈んでいった。自由行（香港への個人旅行の自由化）の下で、大陸の富裕な観光客は香港に押しよせ、大金を投げ出し、ある者は不動産を爆買いした。香港は（投機を）事実上もちこたえられず、不動産価格は（投機の結果）、ちゃんと会社勤めをしたり小さな商売をしたりしている人々が、もはや負担できないほどにまで高騰した。観光業は金持ちや悪質な客による衝撃で奇々怪々な状態に陥り、貧富の格差拡大で出産の医療サービス享受ですら問題が生じ、市民は焦りはじめた。次に香港の安心した暮らしに与える衝撃とはいったいどのようなものだろうか。

一国二制度の「一国」は勢いが強く、香港というこの制度は勢いが弱い。過去一四年来、「一国」はたえず香港という制度に衝撃を与えてきた。（基本）法の解釈権をもつことにより、中央は香港の行政・立法に対する支配権をしっかりと握り、「第二の管理統治隊列」（の存在）が公開され、基本法が香港の自治範囲として規定する内部の事柄に対し、中連弁の役人がいささかも恐れることなく、公然とあれこれ指図し、大陸の成金や悪質な文化が香港をほしいままに踏みにじっている。見たところ、香港がこれまでの文明的で、和やかに楽しむ生活に別れを告げる日は遠くないようだ。

（二〇一一年四月六日）

「寝たふりをする人間を起こす方法はない」

（行政長官の）梁振英は、「港人港地[*1]」や深圳在住で戸籍をもたない住民に対する「マルチ出入境許可証」の停止などの措置を相次いで打ち出したが、当面もっとも関心がもたれている国民教育反対の議題[*2]に対しては、断固として撤回しなかった。国民教育反対に対応する彼の手立ては中共とまったく軌を一にしており、一般大衆に一部の恩恵（実際には香港人に対する損害を減らすことにすぎない）を与えるが、イデオロギーや核心的価値のうえでは一歩も譲歩しないというものだ。

こうした施政の方向は、梁親中政権が香港で国民教育を強引に推進しようとする目的をいっそう物語るものであり、それはまさに香港を大陸のあのような社会――事実の真相も是非も明らかにされず、生まれつき備えているはずの善悪を判断する能力もなく、ただ利益と権力のみがある社会――に変えようとするものだ。

国民教育プランを撤回するには一定の手続きが必要などと言っているが、これは言葉の偽りのテクニックである。梁振英はいつ手続きを尊重したことがあるのか。国民教育の撤回にどのような手続きが必要と言うのか。少し前に「港人港地」は法律の制定後に推進すると言っていたが、それを待たず一気に推進したのではなかったか。

国民教育反対はすでに全民運動を形成し、その規模と持続性は二〇〇三年の基本法第二三条の立法化反対を超えている。国民教育は香港人の神経を逆なでした。それはたんに教育にとどまらず香港全体に関わる問題である。すなわち香港が大陸と同様の社会になるかどうかの問題であることを提起した。

それはいったいどのような社会なのか。国旗を見て涙を流し、国歌を歌って感動する社会である。しかしそれは真に感動して涙を流すのではなく、（感動の）ふりをしたものである。大陸で一六年間国民教育を受けた香港中文大学の同級生胡清心（フーチンシン）さんが述べているように、大陸では、中共が功績・恩徳を称えるあの愛国教育の宣伝を本気で信じている人はおらず、国民教育は失敗だと言える。だが校長や教師、学生は（愛国教育の宣伝に従い）あれこれと話し、書かねばならない。さもないと学生は進級できず、教師は昇進できず、校長はより高い官職に就くのは絶望的となる。

しかし、これはもっともひどい状況ではなく、過去には党の指導に従わずに話したり書いたりしたために労働改造所（強制収容所）に送られたり、なかには極端な場合、銃殺されるケースもあった。国民教育の結果、大陸では代々の中国人がみずから信じない嘘をなんの違和感もなく繰り返しており、（この意味では）世界でもまれにみる成功と言えよう。

数十年におよぶ国民教育の浸透の下、中国はすでに古今東西を問わず、これまで見たことのない虚言（うそ）大国となった。嘘をつかなければもはや生存できなくなったとき、人々は嘘をつき、是非善悪を判断する能力を埋没させていることに対し感覚を失い、利益と権力のために、人に損をさせてでも自分の利益になるならなんでもやってのけることができ、それには限界もない。

中国の現在の社会の道徳喪失は、このような国民教育によって調教されてできたものだ。

「学民思潮」[*3]が先頭に立って特区政府の本庁舎に「鉄屋吶喊（てつおくとっかん）」の横額を掲げたとき、この言葉が魯迅の文章「吶喊・自序」から来ていることを自然に思い出した。魯迅は雑誌「新青年」から原稿の依頼を受けたとき、こう答えた。

「たとえば一間の鉄部屋があって、（どこにも窓がなく、どうしても壊すことができない。）内に大勢熟睡しているとすると、（久しからずしてみな悶死するだろうが、彼らは昏睡から死滅に入っても死の悲哀を感じない。）現在君が大声あげて呼び起こすと、彼らは（驚いて）鉄部屋から飛び出そうとするが飛び出せない。死んだほうがより苦痛がないのではないか」

すると原稿を依頼した銭玄同は、「呼び起こしたんだよ、君はどうして必ずしも飛び出せないと言うんだい」と応じた。この言葉をきっかけに、魯迅は最初の小説『狂人日記』を書きはじめることとなった。

筆者が若いころ物書きの仕事に就いたのはまさに魯迅の「吶喊・自序」の励ましを受けたからである。思うに、学民思潮がこの横額を掲げたのも、ただ食べることに関心をもち、娯楽が大好きで、政治に無関心な香港の人間を呼び起こそうとした意志の表れなのであろう。

最近ネット上では胡清心さんの文章「寝たふりをする人を呼び起こす方法は永遠にない」が異常に拡散している。筆者は文章を読んだとき、深いショックを受けた。魯迅がいたときの社会が直面していたのは、みずから当然もつべき権利に対して無感覚で、まったく知識のない民衆だった。しかし中国共産党が政権樹立後、数十年の国民教育の調教を経て、全国につくり上げたのはすべて「寝たふりをする」人間だった。あなたが寝ている人を呼び起こす方法をもっていても「寝たふりをする人間を呼び起こす方法は永遠にない」。胡さんのこの言葉は、中国大陸の社会が魯迅の時代よりも絶対に救いがたいことをわれわれに警告するものである。

香港では現在、多くの人はまだ寝たふりをする人間ではない。われわれが目にするのは、胡錦濤国家主席が七月、梁振英の行政長官就任式で「一五年来、香港同胞は一家の主となって切り盛りをしており、……香港住民が享有する民主的権利と自由は歴史上のどの時期よりもさらに広範囲である」「香港同胞の国家・民族に対するアイデンティティと感情は日ごとに増している」と述べたとき、在席していた政商たちの態度である。彼らは熱烈に拍手したが、政商の上層部はすでに寝たふりをしていた。もしも香港人が梁振英の毎日の嘘に慣れ、それを当たり前と考えるか、あるいは国民教育が香港で推進されるなら、われわれの社会は大陸のような社会に変質し、人々がみな寝たふりをし、呼び起こしても目を覚まそうとしない困難な局面に陥るであろう。

香港の多くの人はまだ寝たふりをしていないが、少なからざる人が半分寝て半分起きている状態にあり、大陸の政治圧力が自身に押しよせ、われわれの核心的価値とみずからの権利が流出しつつあるのを感じとっていない。これはたんに子供たちが洗脳される問題だけでなく、それは香港の核心的価値を守る闘いである。そしていまこそ、香港が引きつづき公民社会にとどまるのか、あるいは国民教育を経てみんなが寝たふりをする社会へと変質するかを決定する時期である。引きつづき（政府本部庁舎に隣接する）「公民広場」に行って国民教育反対を支援すべきであり、さらには現在もっている政治的権利を大切にすることが必要で、立法会選挙の投票を絶対に放棄してはならない。

国民教育反対運動は、香港の民主主義の発展にきわめて良い民風（national customs）を与えた。選挙の前、民主派のあいだで多くの雑音が生まれたが、香港人は香港を愛しており、今晩あるいは明日には、人々はみな無関心を拒否し、香港の未来に影響をおよぼす一票を投じるため投票に参加するであろう。

（二〇一二年九月八日）

香港が「香圳」になるのを阻止しよう

中国の政府ネット〈新華網〉は二〇一二年八月二二日、「恩恵享受から互恵へ――深圳・香港が一体化した国際都市の夢」と題した一文を発表、そのなかで「米国の社会学者リチャード・

フロリダ[*4]よって命名された『香圳』という国際大都市は現在、深圳、香港（以下、深港と略称）両都市の交流、競争、融和のなかでゆっくりと上昇している」と述べた。文章はさらに香港の一国二制度研究センターの方舟（ファンジョウ）アシスタント・プロフェッサーの次のような言葉を引用している。

「深港両地の人員が自由に往来し、自由に競争し、自由に通貨を交換する……深港は（将来）都市の概念を完全に生まれ変わらせ、（境界を越えて）食事に行くのも自由、映画を観に行くのも自由と、一種の即興消費のモデルとして生まれ変わるだろう」

「香圳」というこの単語は、ごますりの西洋人学者がどこの藪（やぶ）から引っ張り出したのか知らないが、中共の官製メディアによって使われることになった。

二〇〇七年一一月二二日、中国新聞社（中国の華僑向け通信社）は、すでに深圳と香港の合併を大綱とする「深圳市総合計画二〇〇七―二〇二〇」を公に報道している。この計画はすでに中国建設省の認可を得ている。香港政府が提出した新界東北開発計画は二〇〇八年、香港市民に相談する前、まず大陸の役人に諮問するとともに、「サービスの範囲は深圳および珠江三角デルタ全体を含む」と総括している。二〇〇八年、中共は「珠江三角デルタ開発計画綱要」を提出、「珠江三角デルタを高級な生活に適合する『宜居区』につくりかえる」意向を表明した。

二〇一〇年梁振英は、中国の新聞「南方都市報」の取材を受けたさい、将来深圳住民、ひいてはすべての大陸住民がビザなしで新界北のこの三都市に出入りするのを許容し、辺境をあいまいにする「禁区」（制限区域）開発構想を提起した。梁はさらに七月一日（香港特別行政区成立記念日）、メディアに対しすでに新界に「特区中の特区」を設立する大計画を明らかにした。二〇一二年八月、〈新華網〉は深圳の役人陸健（ルージエン）の言葉を引用して次のように報道した。深港一体化、ひいては広東・香港一体化はすでに「環珠江三角デルタ協力枠組協定」などの「ロードマップ」に導かれて機が「熟しつつある」と。

また方舟が、左派系紙のインタビューを受けたときの内容や、左派系紙の新界東北の開発に関する評論から見ると、新界東北の開発が「香圳」に向けて歩みだす第一歩であることは疑問の余地がない。しかしながら他方では、双非妊婦（香港での居住権を得るために子供を香港で出産しようと越境してやってくる大陸の妊婦）、マイカー旅行、国民教育、マルチ出入境許可証、上水駅での水貨客など一連の問題により、香港市民のあいだでは大陸の政治、経済、社会や大挙してやってくる人の往来が香港を「征服している」として強い反発が生まれた。

そこで特区政府は再び兵をゆるめる計略を打ち出し、陳茂波（ポール・チャンモポ。財政長官）は新界東北が香港市民のために開発する新しい町であり、「深圳の裏庭」に変わることはなく、大陸の人間もビザなしで香港に来て買い物することはないと述べた。林鄭月娥（当時政務長官。現在は行政長官）は、（深港一体化が）「計画されている」とか、あるいは（香港が）

深圳と心を一つにして協力するとか、無から有が生じた言い方に驚きを禁じえないとまで言ってのけた。

筆者は前述の文章で、二〇〇七年以降の深港一体化に関するさまざまな公式文献や報道を引用したが、林鄭が無から有が生じたなどとしゃあしゃあと言ったことに対し、当時の事情にいくらか関心がある人ならば、林鄭の驚きに驚きを感じざるをえないだろう。

だが特区トップ（行政長官）が虚言をまき散らすなか、市民はすでに大陸人民と同様、すべての政府役人の説明を信じないか、あるいは疑いをもっている。新界東北の開発はたんにいくつかの村落（住民約一万人）に関わるだけのことでは絶対になく、深圳・香港が都市として一体化する第一歩であり、中港が融合し、一国二制度を予定より早めて収束させる第一歩であり、「基本法」に公然と違反する振る舞いであることは、明々白々である。

新界東北開発の諮問は二〇一二年九月末に終了する予定だったが、最後の地区説明会では政府が突然、会場を上水宝運路の草地に変更。参加を申し込んでいた市民はすでに六〇〇〇人を超えていたが、（突然の会場変更に）主として「本土利益牌」（香港の利益第一のカード）を切る次期立法会議員の范国威（ゲーリ・ファン・クォックワイ）らは、共同戦線を張って抵抗した。香港の将来に関心を抱く市民は、香港が香圳へと滑り落ちてゆく事態に注目せざるをえない。

中国国務院香港マカオ事務弁公室の陳佐洱（チエンズオアル）前副主任は一昨日、国民教育の推進は人間として当然で、しかも正しい道であり、この善行が悪事になることはないと信じると述べた。筆者が思い起こすのは、国民教育というこの悪事は、香港人の公民意識と香港防衛の意識を呼び起こし、実際のところ悪事が善行に変わったことである。新界東北開発計画も、「売港割地」（香港を売り渡し、土地を割譲する）に対する香港全市民の警戒心をいっそうかきたて、香港人の本土（香港）擁護の意識を強めることになろう。

香港を守り、融合に反対し、全力を挙げて「基本法」で定められた高度の自治を守り、大陸との切り離し（独立ではなく、高度の自治を維持する意味）を勝ちとることは必ずや社会の主流意識となるであろう。小をもって大を制し、弱をもって強に勝つことは必ずしも不可能なことではなく、心ある人は決して（本土意識を）放棄してはならない。

（二〇一二年九月二二日）

香港は完全に中国の都市になるのか

香港の現在の矛盾は本地（香港）と大陸の矛盾であり、それには政治・経済・社会など各レベルが含まれる。多くの人は政治・経済・社会の大問題をあまり理解していないが、日常生活では大陸の人間によるトラブル、街じゅうにあふれる普通話、進行するインフレ、家賃の高騰が目につき、特色ある小規模商店が繁華街から追い出されるとか、粉嶺・上水の住民が東鉄線（香港九龍のホンハム駅と新界の羅湖駅を結ぶ香港鉄路〔ＭＴＲ〕の鉄道路線）に乗れば、水貨客と押し合いへし合いになり、平和で秩序ある生活が一部の大陸観光客の悪習により踏みにじられている。

こうしたことはすべて誰もが知っている。現時点における市民のもっとも普遍的な要求は、特区政府が香港に入境する人たちへの審査・許可権限をもち、人数を制限し、そうした人たちの文化的レベルや（政治・社会的）背景を掌握してほしいということだ。

「ペテン師長官」は、市民のこうした要求に耳をふさいで聞こうとせず、いわゆる香港人優先は口先だけで、やっていることは全面的に大陸と協力して香港を侵蝕することである。九月中旬、広東省長との会議のあと、梁振英は、大陸には六〇〇あまりの都市があるが、個人旅行を推進しているのは四九の都市にすぎず、いかにしてこれを拡大するかを積極的に考えるべきだと述べた。そのあと「蘋果日報」が得た情報によると、政府は青島、太原、西安の三都市を自由行計画に組み入れることを策定中で、そうなれば香港に自由に個人旅行できる人数は約一九〇〇万人増えるという。

香港特区トップ（行政長官）はまた「内交」（大陸との交際）に忙しく九月末、九〇人の訪問団を率いて重慶市を訪問。現地政府関係者と両都市間の貿易について協議した。一一月には広西チワン族自治区、二〇一四年一月には福建省を訪問する予定である。

香港は自由港として、特区のトップが大陸との貿易を開拓するとか、各地の観光客を勧誘するのは当然のことである。だが、もしもわれわれがこの数年来、香港にやってきた観光客の動向を少しでも念入りに見るなら、大幅に増えたのは大陸の観光客であって、他の地区からの観光客は増えるどころか逆にいくぶん減っている痕跡を発見するであろう。

政府の統計では、自由に個人旅行する観光客のうち、現時点では六〇％以上が香港に宿泊しない。これらの宿泊しない観光客は香港に来て何をしているのだろうか。以前、香港旅遊発展局主席を六年間務めた田北俊（ジェームズ・ティエン・ペイチョン。現・立法会議員）は次のように述べている。「深圳のマルチ出入境証明書は一日多行（一日何回でも香港へ旅行すること）に変わってしまった。彼らは観光客ではなく、闇労働者、水貨客である」

宿泊する観光客のなかにも闇労働者や水貨客が少なからずおり、そのなかにはポルノ一掃運動で逮捕された北姑（中国の北方から来た女性＝売春婦）も含まれる。海洋公園やディズニーランドにぎっしりと入っている大陸の観光客は、香港にやってくる大陸観光客全体のごく小部分にすぎず、大部分は買い物中心で、超金持ちはブランドショップや貴金属店に詰めかけ、一般の大陸客は粉ミルクや日用品を（大量に）購入するが、そのことは香港人の正常な生活に影響をおよぼしている。

香港トップは「内交」を重視しているが「外交」を軽視し、外国へ行って香港を宣伝することがきわめて少ない。また外国の観光客も香港に対し徐々に興味を失っている。返還前、多くの外国人がわっと香港に押しよせた。彼らの大部分は香港コロニアル時代の最後の風貌（姿）を見たいと言っていたが、英国統治時代の一部の痕跡は返還後失われてゆくだろうと考えた。案の定、外国人の予想が当たり、返還後、特区政府は人々の懐旧の念を起こさせる痕跡を一つ一つ抹消していった。その後外国人が見たのは街じゅうにあふれる大陸の観光客や、外国とまったく区別のないようなショッピングモールの単一化で、それは彼らの買い物の意欲にも影響した。

香港が世界各地の観光客を引きつけることができるか否かは、都市の特色や風貌と関係がある。返還前、大きな特色や独自の風情をもっていた香港は、大陸の観光客にのみ迎合し、街じゅうが大陸観光客であふれかえる都市に堕落してしまった。これではどうして他の国・地区からの観光客を引きつけることができようか。一部の団体や議員は、香港が国際都市の風貌を回復するために大陸観光客の自由行を削減することを市民が希望していると指摘している。これには道理があるが、特区のトップはそれに逆らって行動している。

報道によると、政府の消息筋は香港の将来の経済状況が不安定で、自由行に依拠して経済の持続的発展を牽引する必要があると指摘したという。だが香港統計処の数字によると、香港の観光業およびそれが牽引する域内総生産（ＧＤＰ）は、香港全体のＧＤＰの三・三％にすぎない。

あるネットユーザーは次のような問題提起をした。あなたは（大陸の観光客であふれる）広東ロードを買い戻すために、ディズニーランドを買い戻すために、静かで清潔で秩序ある香港を買い戻すために、自分の賃金や財産を三・三％減らすことを望むかどうか、と。多くのネットユーザーの答えは、私はそれを望む。さらに一〇％減少しても、私はそうしたいというものだった。

自由行がもたらした災難のほかに、香港にはさらに新移民がもたらした困惑がある。香港の大陸移民政策は世界でもっとも荒唐無稽の政策である。たとえ大陸のどの都市であっても、都市当局はみな外来戸籍を審査・認可する権力をもっている。しかし香港だけが、大陸が発行した片道通行証を黙って受け入れているのだ。

毎日一五〇人、毎年五万人が香港にやってくる。返還後一六年たつので、延べ七〇～八〇万人の新移民が香港にやってきた勘定になる。そのうち何人が家族との団欒のために来たのか、何人が（片道通行証を入手するため）公安局に金を払って来たのか、何人が中国共産党の（地下）活動のために来たのか、誰も知る人はいない。たとえ正真正銘の庶民であっても、中共の二十数年来の特権資本主義に毒され、人としての道徳の質は、昔日の大陸の人間とは同列に論じられない。彼らは香港でかなり恵まれた人権を享受しているが、興味深いことに小さな利益のために香港の容共政権と建制派を擁護している。

街じゅうにあふれる大陸の観光客や新移民、嘘ばかりつく政府。香港はもはや昔の香港ではない。我慢できなくなった香港人が大量移民し、またも新たな移民ブームが起きている。古い者が去り、新しい者がやってくる。香港政府は大きく変わり、市民の構成も徐々に変わりつつある。まさに一九九六年、ある占星術師が次のように予言したとおりである。

「占星術は、一国二制度が不可能であり、中国の香港に対する締め付けがますますきつくなり、香港がもはや香港人の都市ではなく完全に中国の都市に変わるだろうと告げている」

筆者は一九九六年に出版した本『香港一九九七』(邦訳『香港の悲劇——北京政府の野望』瀬川千秋訳、講談社、一九九七年)で、この話を記録した。今日、本土民主派の奮起に対し期待感をもって見ているが、彼らの闘いは香港の宿命に打ち勝つことができるだろうか。

(二〇一三年九月二五日)

訳注

1　庶民にとって高根の花となった住宅の価格高騰問題を解決するために提起された一種の住宅政策。不動産建設会社は、香港の永久住民の居住用にだけ住宅を販売でき、転売も香港永久住民に対してのみできる。

2 香港特区政府が二〇一〇年「国民教育」と「道徳」の授業を小中学校で必修にすることを決定した。ところが、これを「洗脳」だと反対する声が多く上がり、必修化は三年後に延期。二〇一二年九月にまずは小学校、翌年からは中学校（香港の場合、中学校とは中高校六年間を意味する）で試験的に実施されることになった。これを支持する親中派勢力が国民教育と徳育は「国際的な慣例」であり、中国人として当然のことだと賛意を示したのに対し、民主派は「基本法」では永住する香港人を「国民」と定義しておらず、共産党イデオロギーによる「洗脳」教育だとして反対。学生から高齢者まで幅広い層の市民がデモやハンストに参加し、香港社会は分裂状態に陥った。結局、特区政府が必修化、義務化を断念。現在は小学校一年から中学校までの六年間、非強制的な形で新独立学科として展開されている。

3 香港の学生運動組織の名称。一九八〇年代に生まれた中学生を中心に、国民教育の撤回を目的に抗議活動を展開した。創立者は黄之鋒。黄はのちに羅冠聡、周庭とともに、香港の自決権を掲げる「香港衆志」という政党を創設して初代事務局長を務めた。

4 米国生まれの社会学者。一九八六年にコロンビア大学にて博士号取得。専門は、都市社会学。トロント大学で教授を務めている。新しい地域発展モデルとしてクリエイティブ・クラスについて着目、その実証的研究と体系化をおこなっている。クリエイティブ・クラスとは、米国の脱工業化した都市における経済成長の鍵となる推進力と認識された社会経済学上の階級。

4　香港人と新香港人

「中国人」アイデンティティへの拒絶反応

二〇一一年末死去したチェコ共和国の人権大統領ヴァーツラフ・ハヴェルは、著書『権力をもたない者の権力』（邦訳『力なき者たちの力』阿部賢一訳、人文書院、二〇一九年）のなかで次のように述べている。

「全体主義制度が個人生活の隅々にまでおよび……虚偽と嘘八百が社会に氾濫している。官僚政府は人民の政府と呼ばれ、労働者階級は労働者が主人であるとの名目の下でこきつかわれ、個人の地位の喪失は人の最終解放だと言われ、人民のニュース取得ルート剥奪は人民のニュースルート保障だと呼ばれる。権勢を用いて人民を操ることは人民の権力掌握だと言われ、職権を乱用し、思い上がって偉そうな態度をとっても法治を実行することだとされる。また文化の抑圧はすなわち文化の発展であり、まったくの言論の自由がないのはすなわち最高の言論の自由であり、選挙の茶番劇は最高の民主主義であり、独立した思考の禁止はもっとも科学的な世界観なのである。

政権担当者がみずから嘘八百の虜となっているために、すべてを白黒転倒せざるをえない。彼らは歴史を改竄し、現実を歪曲し、未来を虚構化する。彼らは統計資料を捏造し、隙さえあればすぐこれに乗じて無茶をやる警察機関が存在しないかのように装い、いかなる人も迫害したことがないかのように装い、何も恐れるものがないかのように装い、ペテンにかけたことがないかのように装っている」

中共第一八回全国代表大会における胡錦濤国家主席（党総書記）の報告は、右に引用した文章の現実的描写である。すなわち今回、全党の「指導思想」に列せられた科学的発展観から言うと、過去一〇年来、大陸全土に氾濫した、本心や事実に反する言動と気風（統治者の嘘八百を含む）は、まさに科学的な真理探究と完全に食い違ったものではないのか。胡は香港・マカオ政策を提起したとき、香港人からすると泣くに泣けず笑うに笑えないような、次の言葉を言い放った。私は香港・マカオ同胞が「全国各民族人民といっしょに中国人の尊厳と栄誉を享受」できると確信する、と。

近年、香港人はこうした宣言と栄誉に対し（その任ではないと）辞退してきた。二〇一一年一〇月二二日、ユーチューブ上に発表された（中国人を風刺する）歌曲『紅軍‐核突支那Style』[*1]は、わずか一年で再生回数が一二四万回を超えた。この数字は香港人の「中国Style」に対する普遍的な嫌悪感や、「私は香港人であって中国人ではない」と叫ぶ一部の人のやるせない感情を示している。

昨年末台湾を訪問した広州の週刊誌「新週刊」の蕭鋒（シャオホン）編集長は、今年初め自身のブログで、台湾人がみずからを中国人と認めない原因は以下の点にあると述べた。

「中国は、中国というこの看板を臭くて鼻持ちならないものにした！　昨今の中国社会には物質主義、人民の精神や信仰の空洞化、社会道徳の崩壊がいっぱいに広がっている」「中国人の（良い）イメージは一瀉千里に消え去り、再び戻ってこない」、国家イメージの面では外部の人たち（香港人を含む）は「なぜ中国がチベットや新疆（シンジアン）ウイグル自治区に、このように強硬な政策をとっているのか理解できない、なぜ北京が視界わずか一〇〇メートル足らずなのに、『軽微な汚染』としか言わないのか理解できない。中国がなぜ『堕胎』というこの殺人方式によって人口を抑制しているのかについて恐怖を感じている……（四川省）汶川（ウエンチュアン）地震で死亡した小学生の名前が、なぜ国家機密なのか理解できない。数千万の人民が困窮ラインぎりぎりで生活しているなか、国家がなぜ派手に金を使う各種活動をさかんにおこなっているのか理解できない。温州で高速鉄道車両の衝突・脱線事故が発生したあと、中国のおこなった政策決定は、なぜか高速鉄道の運転を止めて事故の原因をしっかりと調査することではなく、（そそくさと）事故車両を解体し、埋め立てをおこなうことだったのか理解できない……」

蕭鋒は、台湾人が中国人となることにアイデンティティを感じない原因の一つは「とりもなおさず、中国が中国という看板をみずから鼻持ちならないほどにぶち壊してしまったことにある」と考えている。

大陸のベストセラー週刊誌の編集長でさえも、中国というこの看板が臭くて鼻持ちならないものになったと認めているのに、台湾人と同様に久しく文明社会に長く暮らしている香港人は、中国というこの看板を掲げてどうして「尊厳と栄誉」をもつことができようか。胡錦濤主席が「中国人となることの尊厳と栄誉」を語っているとき、演壇の下にいる代表たちの拍手は心からのものだったのだろうか。

香港のある雑誌が、大陸の政府機関内部の統計として報じたところによると、二〇一二年三月末現在、第一七期中共中央委員会のメンバー二〇四人のうち一八七人（全体の九一％）は直系親族が欧米など西側諸国に居住、あるいは滞在先の国籍を取得しているという。中国にはすでに「裸官」と呼ぶ非常に流行している名詞がある。その意味は家族がみな移民し、自分一人が大陸で官僚としてとどまっていることを指す。

米国の統計によると、中国の九〇％の（高級）官僚の家族および八〇％の金持ちがすでに移民を申請、あるいは移民の願望をもっている。[*2] 国家の支配階層や既得権益階層が、みな自国に対する信頼感を失っている。それなのに彼らは口々に「中国人の尊厳と栄誉」を叫びつつ、この鼻持ちならなくなった国家を統治しているのだ。

香港のある新聞は、胡演説のこのくだりについて「百感交集」（万感胸に迫る思い）と表現し、「香港・マカオ同胞が中国人であることに尊厳も栄誉も感じていないことを、当局はどう認識しているのかわからない」と述べるとともに、北京五輪の成績、有人宇宙船「神舟」の打ち上げ、蛟竜号（潜水艇）の深海探査、莫言（モーイエン）のノーベル文学賞受賞などを挙げ、「香港人は誇りを感じ、敬意を表している」と述べた。この「百感交集」の論調は明らかに虚偽と嘘八百の隊列に加わるものだ。

香港人が「中国人」というこの看板を掲げるのは、「一国二制度」の下で、われわれはこの看板を振りはらうことができないからだ。この看板を掲げてもわれわれは栄誉を感じないし、むしろ恥ずかしさ感じると言ったほうがよい。われわれがもし中国にアイデンティティをもつとしたら、それは「我恥じるがゆえに我あり」だからである。これは中共の役人が聞きたくない本当の話である。

（二〇一二年一一月一〇日）

「新香港人」の何が問題なのか

一九七九年元旦、中国と米国は国交樹立し、当時副首相で、実際には大権を掌握していた鄧小平が米国を正式訪問した。一月三〇日午前、鄧はカーター大統領と会談し、二国間関係について重点的に討議した。カーターが人民の出国を管理・制限している中国の人権問題を提起したとき、鄧は「もしあなたがわれわれに、一〇〇〇万人の中国人の米国移住を求めるなら、それは私にとって非常に喜ばしいことだ」と述べた。カーターはぐうの音も出なかった。

米国は移民立国を旨としており、理屈からすれば世界各地から来る移民を拒否すべきではない。しかし米国は建国からすでに二〇〇年あまり経過し、みずからの文化と価値観を形成している。したがって現在は、外からやってくる移民に対しかなり厳しい制限を課している。

立法会の范国威、毛孟静（クラウディア・モ）両議員が募金を集めて出した「赤化反対と梁振英辞職要求」の広告は、中共メディアによる容赦ない批判を呼び起こし、民主派内部でも論争の焦点となった。もともと発起人の一人だった工党の張超雄（フェマンド・チュン・チューフン）は、広告が（大陸からの）移民を差別視しているのを嫌い、署名から身を引いた。「大公報」（香港の左派系紙）は評論を発表し、香港のために新移民の後押しが必要だとし、「香港の発展には新香港人が必要である。それは香港が一〇〇年あまり前に開港し、小さな漁村から繁栄した都市に発展し、大量の人口と人材が出現したのは外来移民のおかげだからであり、まさにさまざまな時期に香港に入ってきたこれらの『新香港人』が、香港の都市の発展を推進する力となったからである」と述べた。

評論はさらに次のように指摘した。香港の人口七〇〇万人のうち四〇%以上は外来人口である。たとえ過半数の香港人が香港で出生し成長したとしても、その大部分は一九四五年以降、中国大陸からやってきた新移民の子孫であると。このロジックに従えば、米大統領は一〇〇〇万中国人の米国移住を拒否すべきではないということになる。

だが当時、外国記者の取材に対する制限から考えて、(鄧小平の答えに続く)カーター大統領の以下の応答が報道されることはなかった。カーターはのちに日記のなかで、自分は鄧に次のように語ったと明かしている。

「彼が私に一〇〇〇万人の中国人を差し出してもよいと言ったからには、私のほうも一万人の新聞記者を提供する用意があると言葉を返した。彼は声を大にして笑うとともに、ただちに拒否の意向を表明した」

カーターのこの話は中国の急所を突き、鄧小平もすぐに拒否したとも言える。なぜなら独裁政治の中国からすると、中国が米国に中国人一〇〇〇万人を輸出する危害に比べ、一万人の記者が政権に与える脅威のほうがはるかに大きいからだ。自由社会はメディアの監督を必要としているが、独裁政治は逆に、報道の自由が政権の醜さをたえず暴くことをもっとも恐れているからだ。

米国の開国の元勲で第三代大統領のトーマス・ジェファーソンは、「もし政府と新聞のあいだにただ一つの存在しか許されないとしたら、私はいささかの猶予もなく後者を選ぶ」と述べたことがある。中国ではまったく猶予の必要はない。なぜなら独立したメディアの存在はなく、また存在を許されないからだ。

独立したメディアの存在しない社会では、独裁政治は監督のないなかで（権力を）運用する。その結果、絶対的権力は絶対的に腐敗する。一般大衆は専制統治の下、奴隷でなければ茶坊主で、専制権力がかまう暇もないような地方では、生存のために隙を見て抜け目なく立ちまわる無頼の民にならざるをえない。自由社会が独裁社会から来た無頼の民に対し、移住制限をするのは当然のことである。カーターは一〇〇〇万人の中国人輸出の申し出を当然ながら辞退した。

だが三十数年前の中国人は、公徳心を欠いていたとはいえ、個人のモラルはまだもっていた。あの時代に香港に来た大陸の移民は、大多数が香港の価値体系のなかに融け込み、香港が享受していた自由と法治をすばらしいと認め、大切にした。

しかし二〇〜三〇年の特権資本主義の発展を経て、金銭、権力および両者の結合が大陸社会の唯一の価値基準となった。公徳心が跡形もなくなったのはもちろん、個人のモラルも存在しなくなった。想像できる、あるいは想像できないあらゆる荒唐無稽なことが起きた。

最近、薄熙来（ボーシーライ）の裁判[*3]が開かれたが、新聞は普通では考えられないような内容の報道を掲載した。かつて中国報道にきわめて関心をもっていた筆者の友人は、これらの（薄裁判に関する）報道をすべて否定し、まったく信用できないとの考えを示した。六歳の男の子が両目をくり抜かれた事件だが、政府系メディアは子供のおばがやったと言い、そのあとこんどは、おばが井戸に身を投げて自殺したと報じた。ネット上では多くのユーザーが、薄熙来裁判は別の「自殺させられた」事件（根拠のないでっちあげ事件の意味）ではないかと疑っている。

近年香港が受け入れた大陸移民は、一部は公徳心も個人のモラルもない人たちである可能性がすこぶる大きい。彼らのうちの圧倒的多数は短期の利益を追求するのみで、香港の伝統ある核心的価値を重視しようとしない。その結果、われわれが目にするのは、親共政治団体の固定票がますます増え、「愛字頭」団体（「愛」の字がつく親中国民間組織）が突然出現し、梁振英のポピュリズムの嘘が一部市民に受け入れられている状況である。香港社会の質はますます耐えられないまでに低下しているが、これらの「新香港人」とまったく無関係とでも言うのだろうか。

大陸の学校を卒業した在香港学生連合会の耿春亜（ゴンチュンヤ）主席は、昨日テレビ番組に出演したさい、香港人が大陸から来た人間の振る舞いに不満を抱いていることについて、地面にしゃがみ込むのは文化であり香港人は文化を尊重する能力をもつべきだとか、外国からの出稼ぎ労働者（大部分はフィリピン出身のメイドたち）が、週末になるとセントラル地区で地面に直接座り込むが、香港人は他国の文化を尊重すべきだなどと述べた。香港で創業したこの豪商は、特区政府青年事務委員会の委員である。もしわれわれが地面に座り込む「文化」を尊重しなければならないとしたら、それは（突きつめて言うと）地面の至る所に唾を吐いたり大小便したりするのを尊重しなければならないということになるのか。それはひょっとすると、われわれは大衆同士が闘うよう挑発する「愛字頭」文化をさらに尊重すべきということになるのだろうか。

　われわれは耿春亜を含むいわゆる「新香港人」を歓迎しない。だが来てしまった以上、われわれは仕方がない。しかし少なくとも香港は「二制度」を維持し、今後大陸から香港に来る人間の審査・認可権をもてるように全力を尽くさねばならない。もしも審査・認可権がないなら、施君龍（シーチュンロン）*4のような犯罪者ですらも香港に来ることができる。（そうなると）香港は徹底的に中国大陸の都市になってしまうだろう。

（二〇一三年九月七日）

新旧中国人と新旧香港人

九月初め、三〇〇人の民主人士が香港赤化に反対し梁振英辞職を求める広告を出したのち、中共メディアによる容赦ない批判を呼び起こすとともに、中共メディアは「新香港人」の概念を宣伝しはじめた。「人民日報」海外版は「香港の発展には『新香港人』が必要だ」との一文を発表し、香港は歴史的に一貫して移民社会であり、大陸から新規に香港にやってくる人間を減らすよう求める言論に反駁。新移民の学歴は全体としてレベルアップしており、一部の人は香港社会のエリートとなっているとの認識を示すとともに、香港の発展はまさにこのような「新香港人」を必要としていると指摘した。

だが「新香港人」は「旧香港人」とは異なる。香港は歴史的に確かに移民社会であり、「旧香港人」の大部分は大陸の「旧中国人」が移民として来たのであり、彼らは「新中国人」の移民としてやってきた「新香港人」とは異なる風貌をもっている。

双双非童（父母とも香港人ではない幼児）の親たちが新界の幼稚園に対し、面接時に普通話を使うよう改革を要求したのち、香港城市大学（香港・九龍に本部を置く香港の公立大学）では、大陸出身学生が「広東語による授業」と明記したクラスを選択したものの、授業時になると逆に普通話による授業に改めるよう要求した。城市大学の教師はやむなく広東語の一言一言を普通話に翻訳して講義した。香港出身の学生たちは我慢しきれなくなり、大陸からの学生と悪口の言い合いになった。

これに関連した報道が、大陸メディアの転載を経て大陸ネットユーザーのあいだで熱い話題となった。人民日報系紙「環球時報」が論争に加わり、大陸出身学生に加勢するため問題を「香港メディアによる悪質な思惑報道」のせいにし、「学期初めに広東語の理解能力を学生に要求するのは現実的ではない」と指摘した。これらの大陸出身学生はすべて「新中国人」である。

この件は、ずいぶん以前に先輩の文化人が語っていた中華民国初期の北京での授業風景を私に思い起こさせた。彼によると当時、王国維（ワングオウエイ）、黄節（ホアンジエ）ら大物教師が北京大学や清華大学で講義していたが、彼らの地方なまりの発音はきわめてひどく、多くの学生は授業中、彼らが何をしゃべっているのか理解できなかった。だが学生たちはみな息を殺して静聴し、授業が終わるとクラスメイトに不明な箇所を尋ねたり、ノートを借りて写したりしたという。彼らは教師に流暢な国語（標準語）を話してほしいとは要求しなかった。当時の学生は「旧中国人」である。

中共政権発足の二年前、筆者は北京に住んでいたが、当時の北京の民風や現地住民の謙虚さ、誠実さ、礼譲、ユーモアに深い印象を受けた。「旧中国人」は服従性、すなわち奴隷根性という弱点をもっていたが、潜在意識のなかには依然として「己の欲せざるところ人に施すことなかれ」という古い道徳の呼びかけがあった。現在「旧中国人」社会はすでに「すべてが嘘偽り」という「新中国人」社会に取って代わられてしまった。「旧中国人」は香港に移民して「旧香港人」となった。過去に香港に来た大陸人はみな中国の伝統的な「郷に入れば郷に従う」を尊重した。彼らはどの省から来ようが広東語を学び英語を学んだ。彼らは香港の法治、自由を大切にし、大陸にいたときのみずからの陋習（悪い習慣）を改め、香港の文明社会に融け込む努力をした。

香港政府の張敏儀（チュン・マンイー）元放送局長が香港中文大学時代、労思光教授の授業を受けたが、教授の湖南なまりの中国語をほとんど完全と言っていいほど理解できなかった。しかし彼の授業を非常に尊重し、細心の注意を払って耳を傾け、授業を楽しんだという。当時の香港人は教師に対し自分たちの理解できる広東語で話すよう要求することなどはなかった。

現在の大陸では、中華民国初期のように師を尊び教養を重んずる学生はきわめて少なく、大部分は自分の権利を尊び利益を重んじる新中国人である。彼らは香港に来て授業を受けるときも、みずからを一種の「恩賜」と見なしている。香港城市大学で起きた非難合戦で香港出身の学生を支持した香港メディアに対し、大陸のネットユーザーは、香港メディアは懸命に罵倒しつづけたらいい、おまえたちの眼中にある中国人は（今後）香港にまでわざわざ出かけていって授業を受けないし、買い物も旅行もしないまでさ、そうすればおまえたちは罵倒する元気もなくなるだろうと言い放った。

われわれは「罵倒する元気もない」歳月に戻ることを真に希望している。独裁政治下の生活と法治社会下の生活について言えば、その最大の違いは、①前者はみずからの手で自分の運命を支配できないが、後者は法律の保護下でみずからに依拠してさまざまな選択ができる、②前者は分配の平等と呼ばれるが、実際には特権によって「一部の人が他の人よりいっそう平等である」状態をつくりだすが、後者は法治下の機会均等である。[*5]

「旧中国人」は香港の機会均等が大切なことを理解しているが、「新中国人」はそれとは大いに異なる。彼らは権力に依拠して初めて生存し利益を獲得できることに慣れており、とりわけ過去三十数年来の特権資本主義の薫陶で、人生の価値全部を金銭と権力に預け、権力がありお金があれば「大晒」（大いにひけらかし）、他人の自由や権利を尊重せず、ましてや形のない普遍的価値観などはもっと尊重しない。彼らは全体主義社会を離れると、口先では中共の専制を罵るが、香港に来たあとは依然として中共の全体主義にくっついて利益を図りたいと考えている。

香港の近年のすべての問題、すべての言い争いは、こうした「新中国人」の香港での自由行、あるいは定住による香港の侵蝕と無関係ではない。それゆえ「旧香港人」とその下の世代から構成される香港社会、とりわけ香港の核心的価値を大事にする新世代は、「新香港人」の大量流入を食い止め、「根本から人を減らし」、「新中国人」の香港移住の審査・認可権を奪回したいと考えている。

陳雲（『香港都市国家論』の著者）は文章のなかで、現時点の大陸移民は新移民ではなく新植民地主義者である、なぜなら、これらの「新香港人」は自分が強国から来て「文化的に強勢な状態にある」と考え、「香港の文化を受け入れることを望まず、甚だしくは香港の文化を変更し、自分たちに妥協させるため香港人に北方の言葉を話すよう強要している」からだと述べている。

もちろん「新中国人」は、必ずしも全員が権力を笠に着て人をいじめるという、〝強国の匂い〟ふんぷんというわけではない。旧香港人のなかにも梁振英や陳茂雄のような人間もいる。ただ全体的に言えることは、「新中国人」は大陸政府が一方的に審査・認可した結果、大量流入してきたのであり、それは確実に香港の近年の災禍の根源となっている。これは客観的な現実であり、差別視とは無関係である。香港市民が一斉に立ち上がって植民地主義に反対しないなら、落ちぶれ、身を滅ぼすことは避けられないだろう。

（二〇一三年一〇月一九日）

訳注

1　歌曲『紅軍 - 核突支那 Style』は、メロディが韓国の『江南 Style』から来ているが、香港人が独自の歌詞を入れ広東語で歌ったもの。広東語を理解できない外国人にとっては意味不明だが、ホームページアドレスには〈Nasty China style〉と書かれているほか、ある人はこの歌曲を「Disgusting the Shina Style」と翻訳している。したがって曲名の意味は「汚らしい中国スタイル」「反吐をもよおさせる中国スタイル」という意味らしい。歌詞のなかには香港人が大陸中国人を罵るときに使う「蝗虫」（イナゴ）とか、水貨を運ぶ中国人が香港の景観を汚し物価を押し上げていると批判する言葉が出てくる。

2　「裸官」の家族の滞在先である外国は米国、英国、カナダ、オーストラリア、フランスなど、移民を受け入れやすく中国と犯罪人引渡し条約を締結していない西側先進諸国が多い。二〇一一年に中国社会科学院がおこなった調査によると、一九九〇年代中期以降に海外逃亡した政権幹部の人数は一万八〇〇〇人、持ち出した金額は八〇〇〇億元（約一二兆円）に上る。二〇一四年中国共産党の調査により全国で県級以上の三二〇〇人あまりが特定され、うち約一〇〇〇人が降格処分にされたという。

二〇一九年八月、香港では市民による「逃亡犯条例」改正案への抗議活動が続くなか、カナダのトロントでは「香港警察を支援する」集会に、一部の中国人留学生がイタリアの高級車「フェラーリ」数台に乗って現れたことが話題となった。車上には五星紅旗を掲げ、愛国のパフォーマンスをおこなったが、その派手な画像がネット上に流れると、「その金はどこから来たのか？」「車の金は絶対にカナダで働いて得たものではないはずだ！」と疑問や批判の声が上がった。カナダ移民局によると、同国に留学した中国学生は二〇〇九年の五万人から一八年には一四万三〇〇〇人へと三倍近く増え、一部は党政府官僚や富豪の子弟だとされる。

3　薄熙来は中華人民共和国の政治家。「八大長老」の一人と言われた薄一波（ボーイボ）（元副首相）を父にもち、太子党に属する。保守派の旗手として第一七期中共中央政治局委員兼重慶市党委員会書記を務めたが、「薄熙来事件」と呼ばれる汚職・スキャンダルの摘発により失脚した。事件は薄が胡錦濤・温家宝派との権力闘争に敗れたという側面もある。発端は重慶市の王立軍（おうりつぐん）公安局長の米国総領事館（成都）駆け込みから始まった。王は英国人実業家（ニール・ヘイウッド）死亡事件を捜査していたが、①薄の妻の谷開来（グーカイライ）と薄の生活秘書がヘイウッドを毒殺した、②薄一家が数十億ドルにものぼる不正蓄財した財産を海外送金していた疑惑がある、③薄一家が不正蓄財した財産について、谷開来とヘイウッドとのあいだに諍（いさか）いがあった――ことを把握したとされる。捜査に危惧を抱いた薄が二〇一二年二月二日、王を公安局長から解任。身の危険を感じた王が同月六日、米国総領事館に駆け込む亡命未遂事件を起こした。

中央規律検査委員会の調査結果を受け、薄は党から除名され、全人代常務委員会の代表資格を取り消されるなど、すべての公職から追放された。一三年七月、薄は遼寧省時代の職務にからんだ約二〇〇〇万元の収賄罪と約五〇〇万元の横領罪、重慶市党委員会書記時代の職権乱用罪で起訴され、山東省済南市中級人民法院でおこなわれた裁判では、無期懲役、政治的権利の終身剝奪、全財産没収の判決が言い渡された。審理において薄は、すべての罪状を否認し、党指導部への対決姿勢を示した。裁判は、発足したばかりの習近平指導部にとって腐敗根絶を訴える格好の政治的舞台となり、ＳＮＳの〈微博（ウェイボー）〉で薄の公判中の写真を公表するなど、審理の進み具合を伝える異例の対応をした。

4　一九七七年広東省生まれ。二〇〇〇年香港入境事務所ビルに放火、高級入境事務主任が殉職した。施は放火殺人事件の主犯として謀殺罪で有罪となり終身刑に。のちに減刑されて八年間服役した。出所後、大陸に送還されたが、一一年、片道通行証をもって香港に来ることに成功した。香港社会は騒然となり、一部の人たちは片道通行証制度の改革を強く要求した。施は現在香港に居住、家庭団欒互助会新界分会理事を務める。

5 英植民地時代、香港経済は大勢の英国人による観光や消費に依存することはほとんどなかった。したがって英国を罵倒する元気をもつ必要がなかった。いっそのこと、いまよりもっと自由だった返還前の時代に戻りたいという意味か。

5　危機に直面する「法治」

「法治は香港の核心的価値だ」

映画『寒戦』[*1]が近ごろ大人気で、多くのネットユーザーは伝言板のなかで、劇中の「法治は香港の核心的価値だ」という言葉があるゆえに、この映画を支持すると書き込んだ。

香港の法治は現在、危急存亡の秋を迎えている。まさにこのとき、国務院香港マカオ弁公室の張暁明副主任は、香港マカオ政策に関する長い文章を発表した。この文章は必ずしも彼個人の意見ではなく、「文匯報（ウエンホイバオ）」（香港の左派系紙）によると、中共一八回大会の政治報告起草に参加するため同文章を書いたという。

文章は、中共の香港政策に対する大きな変化を反映しており、それは梁愛詩（エルシー・レオン・オイシエ。前全人代会常務委香港特区基本法委員会副主任委員。前特区政府法務長官）

の直近の香港司法に関する言論や、邵善波（シャオシャンボ）（中国全国政協委員、前香港政府中央政策組首席顧問。一九九〇年から「一国両制研究中心」総裁）の中策組における権力拡大と党中央宣伝部への転身にもつながっている。いずれも北京が香港の法治に我慢できなくなり、香港の法治を中共が好きなように掌握できる人治へと転向させることを表している。

中共はみずからも実行しているのは法治だと言っているが、大陸の法治が人治による乗っ取りで、「党の事業至上を堅持する」という有名無実の法治となっている。

張暁明は文章のなかで「香港の繁栄と安定を保持する」と繰り返し述べている。返還前、査良鏞[*2]（ルイス・チャ・リョンヨン）先生が香港の将来問題に関し自身が書いた社説文集の表紙には「自由＋法治＝繁栄＋安定」と書かれていた。その意味は、自由と法治こそ香港の一〇〇年来の繁栄と安定を保持してきた礎石であるということである。

実質上、われわれが言う自由とは法治を保障する自由である。ドイツの哲学者カントは「人がもしもいかなる人にも従わず、ただ法律にのみ従うなら、人はすなわち自由である」と述べている。あるいはハイエクが述べているのだが、「自由とは法治の下で、人の行動がすべての人に同じように平等に適用される抽象的なルールの制限を受けるのみであることを意味している」自由を指す。すなわちそれは法の前では人々がみな平等であるという自由である。こうした自由の下、人々は各人が自分の特技を発揮し、社会の繁栄を創造する。これは中国が過去三〇年間築いてきた経済的繁栄とは異なる。中国の繁栄は人治の下での特権的繁栄であり、特権階層が享有するのは平民が得ることのできない特権の自由である。

それゆえ法治とは、すなわち「法の統治」であり、すべての抽象的な条文の制限を受ける統治であり、人が法律を利用する「法による施政」ではない。法律条文はすべてのものより高い地位にあり、法律が最終的に依拠するところは憲法である。返還後の香港ではすなわち「基本法」である。法治社会が憲法と法律にもっている尊重の程度は、米国の有名なヒューゴ・ブラック判事[*3]の以下の名言によって説明できる。

「憲法は私の法律上のバイブルであり、それはわれわれ政府に対する設計、すなわち私に対する設計であり、その運命はすなわち私の運命である。私は憲法に書かれた最初の言葉から最後の言葉まで、一つ一つの文字を大切にしている。憲法に対するもっとも小さな離脱要求でも、私にとってはすべてが非常な苦しみである」

現在の香港は、たんに裁判官たちに対しブラック判事のようにていねいに香港の法治を擁護するよう要求しているだけでなく、世論や市民もこのような法治精神をもって法治を守るよう要求している。なぜなら中共第一八回全国代表大会中央委員会報告に関する決議は、前大会の「厳格に特別行政区基本法にもとづいて事をおこなう」とした内容を削除したからで、張暁明の文章も「基本法に」に触れ、香港は「基本法」で規定した中央が享有する権力を尊重しなければならないと述べている。

過去一五年来、香港は中央が法に依拠して享有する権力を尊重しなかっただろうか。言論の自由の範囲内での発言を除き、行政・司法・立法機関などの権力レベルでは中央の権力を尊重しないことはなかったし、甚だしくは中央が「基本法」に依拠しないで有する権力も、香港の権力機関は尊重してきた。

張は「基本法」が中央に法解釈の権力を賦与していると強調するが、過去四回の全人代による法解釈は一回を除き、「基本法」の規定にもとづき香港の終審法院に提起されていただろうか。それはなかった。たとえそうであったとしても、香港は受け入れてきた。世論はこうした「基本法」に公然と違反するやり方を批判しているが、まさか（中共は）言論の自由もことごとく「中央の権力を尊重」しなければならないとでも言うのだろうか。

張はまた文章のなかで「中央の権力をよりよく行使するために、特区の立法機関が制定する法律の報告に対する審査制度を完璧なものにする必要がある」と述べている。「基本法」第一七条は、香港立法会が制定する法律は全人代常務委員会に「備案」（所轄機関に報告してその記録にとどめる）しなければならないと記述するとともに、「備案は当該法律の効力発生に影響しない」と述べている。しかし「基本法」は、香港が制定した法律が中央の「審査」を受けねばならないとは言っていない。したがって「審査」は中央が「権力を拡張する」ための本分を超えた建造物（越権行為の意味）であり、明らかに中共の人治をもって香港の「基本法」を骨抜きにするものである。

張はまた「一国」の原則を強調し、「特別行政区が『全住民による公民投票』『都市国家自治運動』など、『一国』の原則に言論を鼓吹することに対し、社会の各界人士も高度に警戒している」と述べている。公民投票や自治はどの点が「一国」の原則に違反しているのだろうか。世界には一国の範囲内で公民投票をおこなったり、自治をおこなっているところが多数ある。ましてや「基本法」は、香港の高度の自治を規定しているのではなかったか。さらに彼も、これらはすべて「言論」であると指摘している。言論の自由は「基本法」が保護している香港人の権利である。

張はまた文章のなかで「一部の外部勢力が……香港マカオの反対派勢力を培養・育成し、香港マカオ現地の選挙問題に介入している」と非難した。われわれが目にしている、香港の選挙問題に介入する「外部勢力」とは中央政府駐香港連絡弁公室（中連弁）だけであって、しかも彼らは「反対派」を育成するのではなく、建制派を支持している。反対派勢力の育成を捏造している外部勢力は、香港の内部問題にいっそう介入するために口実を探しているのだ。

梁振英、梁愛詩、邵善波が相次いで登場し、（香港の法治を変える演目を）上演しているのは偶然ではない。張の文章は総合的な指揮が中共中央から来ていることを物語っている。その目的は香港の法治や、法治下の制度的な運用を骨抜きにすることである。このようなときこそ、香港人は映画『寒戦』のなかのあの言葉をさらに大事にしなければならない。

（二〇一二年一一月二四日）

「おれの父親は李剛だ」が象徴する法治主義の危機

海難事故の惨劇[*4]、人命救助、嘆き悲しみ、死傷者の家族への慰め……。当面の急務は事故原因と責任の究明である。香港人は事件を政治問題化したくないが、われわれがよく知っているけれど政治とはみんなのことである。

しかし中連弁の李剛（リーガン）副主任の高飛車な発言、中共メディアのでたらめな報道、中連弁の彭清華（ポンチンホア）主任の反応、梁振英（行政長官）が中央政府高官の前で見せた見苦しい態度、花火中止という措置をとらなかったことへの責任回避は、当然ながら香港人の怒りを招いた。海難事故の惨劇はまたも中国と香港の矛盾を引き起こした。一国二制度死亡の陰影が香港を覆っている。

大陸人の角度から見ると、香港人は本当に事の善し悪しをわかっていない。中連弁の高官が（事故に）関心を寄せたり、胡錦濤、温家宝、習近平の三巨頭が、状況を理解するためわざわざ中連弁に電話してきたり、特区政府に対し全力を挙げて救援捜索と前後措置をおこなうよう指示したり、大陸側が支援のため救援船を派遣したり、（犠牲者に哀悼を表するため）半旗を掲げたりしている。大陸のほかの地区でこれよりもさらに重大な災難が発生した場合でも、このような待遇を受けたことがあるだろうか。それなのに香港人はまだあれこれと文句を垂れ、中央の介入に反対するなどと言っていると。

大陸のネットユーザーは次のように述べている。

「数十人が死んだだけで大騒ぎしている。香港同胞が災難に遭遇したことに私は同情するが、このように大げさな宣伝をしたり、半旗を掲げたりする必要もない。このようなやり方は（今後）検討されねばならない」

香港人の角度から見ると、香港の災難救援体制は元来かなり完備しており、災難が発生すればすべての救援メカニズムが自覚的に始動することになっている。誰が中央の関心を求めるだろうか。中央の指示があって初めて動く必要がどこにあるだろうか。あなたたちの救援船が到着したとき、大半の人々は救助されており、まったくのところ手助けにはならなかった。

大陸の人治の体制下では、指導者が指示を出さなければ下部組織は動かない。香港の法治体制下ではすべてが制度化され、災難救済メカニズムが始動すれば専門家、実働部隊、公務員は各々の持ち場を守り、責任を尽くして仕事をし、甚だしい場合が身の危険を冒してまで危険な場所に入っていく。

二つの体制の根本的な違いは、一方が権力を崇拝するのに対し、他方は生命を尊重することである。

もしこれが英国人の残した法治精神と制度化だと言うのであれば、そのとおりである。だが法治と制度化は、それを完璧なものにする人が必要である。過去一〇〇年の香港における一人ひとりの努力はすべてこの制度を完璧なものにし、公民社会を樹立するためにレンガを積みあげることだった。

ある人は中国最大のＳＮＳである（中国版ツイッター）〈微博（ウエイボー）〉上で次のように述べている。

「香港が現在得ているもの（制度）は、天から落ちてきたのではない。それはすべて先輩たちが血みどろの闘いと引き換えに獲得したものであり、それを守るためにあとの者が前の者に続いて突き進んできたからである。二〇〇三年ＳＡＲＳ（サーズ）の犠牲となった医師から、今回海難救助で体の各所を骨折したのに活動をおこなった人員まで、人命救助は依然として続行している。われわれは、みずから行動を起こして初めてこうした価値を顕彰し、価値がもたらす甘美を得ることができると確信している」

東方日報電子版のコラム「中門大開」は、一九八九年以降市民の救護のために犠牲となった公務員の名前を列挙し、彼らはみな香港の核心的価値の体現者だと述べた。彼らが被災者を救済するのに指導者の指示が必要ではないし、党の思いやりや愛護も必要ではない。彼らは生命に対する尊重を自覚的に表現し、人命にかかわる事は何よりも重大であることを知っており、涙を流しつつ、みずからの傷の痛みも顧みず人を助ける。われわれは彼らの功績に感動する。なぜならカメラの前で（大陸側要員がわざと）ポンプで水をくみ上げたり、雑談をしたり、（大陸メディアが）救助船を派遣して九五人を救ったとの虚報、デマを流したことに怒っているからだ。

この数年、中港の矛盾のエスカレーション（双方の民間の衝突を含む）の根本原因は、双方の一国二制度に対する心理的差異にある。中共あるいは長年中共の統治下にある大陸人から見ると、一国二制度は「一国」が賦与したものであり、[*5]香港の自由や、香港が自由港、免税港であること、香港人が自由に大陸に出入りすること、一四〇カ国あまりの国にビザ免除で行けることは、すべて中共が代表する国家の政権が賦与したものである。中共指導部の香港に対する配慮は十分すぎるほど多く、自由行は祖国が香港に施した恩恵である。それなのに香港人はまだ不満なのか。現在、香港はすでに祖国に回帰しているが、われわれ大陸人は香港に来てまだいじめを受けねばならないのか、縛られなければならないのか、なぜあなたたちのルールに従わねばならないのか、なぜ五星紅旗を掲げて主権を誇示できないのか、と。

実際のところ、「一国二制度」のうちの香港がもつ「一制度」は、返還前の香港の状況にもとづき「中英共同宣言　付録文書一」に書かれたものであり、基本法もこの文書にもとづき起草し制定されたものである。それは香港がもともともっていたものであり、香港人が実践のなかで完璧なものにしてきた制度である。そこにはわれわれの血と汗、涙が含まれており、われわれの奮闘が含まれている。筆者は一人のメディア人として、言論の自由や報道の自由を推進する面で、それを完璧なものにするうえで一分の貢献を果たしたと、堂々と言える。

香港のこの制度は、中国という「一国」が賦与したものでもないし、天から落ちてきたものでもなく、われわれの血と汗で練り上げられたものである。われわれはこの制度が売港賊（香港を売り渡す輩）の手で失われてゆくさまを見るのを我慢できないし、香港が独裁政治の支配を受け、人としての尊厳をもたず、人としての価値を失った廃墟に変わるのを我慢できない。

香港人が梁振英の「おれの父親は李剛だ」[*6]式の（中共の威光を笠に着た横暴な）振る舞いに抵抗するのは、それが香港のこの「一制度」をめぐる危急存亡の闘いだという象徴的な意義をもつからである。

（二〇一二年一〇月六日）

訳注

1　邦題『コールド・ウォー　香港警察　二つの正義』。リョン・ロクマン／サニー・ルク監督。レオン・カーフェイ、アーロン・クォックら豪華キャストが出演。警察内部で起こる汚職と誘拐事件をリアルに描き、二〇一二年の香港映画界で興行収入ナンバーワンを記録したポリティカル・サスペンス。

2　査良鏞（一九二四―二〇一八）。香港の小説家。金庸のペンネームで書いた武俠小説は中国のみならず、世界の中国語圏で絶大な人気を誇る。一九五九年に中立系紙「明報」を創刊、武俠小説を毎日執筆連載したほか社説も書き、政治評論家としての才能も遺憾なく発揮した。武俠小説のなかでも一番人気は『射雕英雄伝』『神雕俠侶』『倚天屠龍記』の三部作。

3　ヒューゴ・ブラック（一八八六―一九七一）。法学者にして米最高裁判所陪席裁判官。一貫してリベラルな立場から判決を下した。

4　二〇一二年一〇月一日、香港の南西にあるラマ島近くの海上で発生した船舶同士の衝突事故。当日、地元電力会社の香港電灯の船（社員や家族一二四人が乗船）がラマ島の施設を見学後、花火観賞のため香港島沖のビクトリア湾に向かったが、その途中で港九小輪控股（フェリーサービス会社）が経営する渡し船と衝突。香港電灯の船が沈没し、乗客全員が海に落ち、三九人が死亡、三九人が負傷して入院した。渡し船は沈没せず、相手の船を無視し、ラマ島埠頭に戻った。香港政府は、近くの広東省政府にも救助を求めたが、大陸側は「香港の人力と資源は十分だと判断し」、すぐには現場に救援船を派遣しなかった。

5　中国政府が二〇一四年六月一〇日に公表した「香港における『一国二制度』の実践白書」は、中国と香港特別行政区との関係について次のように述べている。

一、（中国）中央は香港特別行政区に対し、全面的な統治権を擁し、監督権を有する。

二、香港特別行政区の高度な自治権は固有のものではなく、その唯一の源は中央政府からの授権（権力授与）である。香港特別行政区が享有する高度な自治権は完全な自治ではなく、また分権でもなく、中央が授与する地方事務（事柄）の管理権である。高度な自治権の限度は、中央がどれだけの権力を授与するかによって決まり、香港特別行政区はそれに応じた権力を享有することになり、いわゆる「余剰権力」は存在しない。

三、「一国」のなかの「二制度」は決して同じウエイトではない。香港が従来の資本主義制度を引きつづき保持し、香港基本法にもとづいて「香港人による香港の管理」と高度な自治を実行するには、必ず「一国」の原則を堅持するという前提の下に、国家主体が実行する社会主義制度を十分に尊重し、とくに国家が実行する政治体制およびその他の制度と原則を尊重しなければならない。

香港特別行政区行政長官は職権を行使するさいに、中央人民政府が香港基本法の関連事項について出した指令を執行しなければならない。

6　二〇一〇年一〇月一六日、河北省保定市の河北大学構内で起きた飲酒運転ひき逃げ死亡事件で、容疑者の李啓銘（りけいめい）（二二歳）が学生に取り囲まれたさい、「やれるものなら訴えてみろ、おれの父親は李剛だ！」と叫んだ。李が地元公安局の副局長の息子であり、事件当時の粗暴な振る舞いや傲慢な発言から大きな反響を呼んだ。中国のインターネット上では「おれの父親は李剛だ！」（我爸是李刚）という言葉が流行語となった。ここでは梁が中共の威光を笠に着て、香港の民意を無視して横暴な振る舞いをしていることを指す。

6 「愛港」精神と脱中国化

誰が「脱中国化」をもたらしたか

梁愛詩は法律界を批判した談話のなかで、法律界では一部の人が「港独」（香港独立）を画策し、「脱中国化を図り、香港を独立させよう」と意図していると指摘した。また梁振英は最近の談話のなかで、本土を守ろうとする香港の意識を「香港を閉鎖する」ものだと指弾した。親中共の世論も「脱中国化」と「港独」に対し攻撃や非難を加えた。これらのことは、港共（香港の親中共）政権が香港の郷土防衛意識の高まりをきわめて注目していることを物語っている。

香港人は過去において「脱中国化」の傾向をもっていなかった。たんにもっていないだけでなく、大陸と比べても、香港はもっとも中国的な場所と言うことができる。大陸の青年作家韓寒は、今年五月書いた台湾訪問記の最後の段落で次のように述べた。

「私は香港と台湾に感謝したい。彼らは中華の文化を庇護し、この民族の美しい習性を残し、その根っこにある多くのものを大きな災難から救った」

彼の文章は主として台湾人の友善（付き合いの良さ）と他人への思いやりを述べているが、これらの源は孟子が唱導した「与人為善」[*1]（人と善を為す）の美徳から来ている。これこそまさに香港と台湾が依然として保持し、大陸ではほとんど消失した中国の伝統文化の精髄である。大陸で「中国文化の命を革（あらた）にした」この数十年間、香港は中国の伝統文化および習俗の命脈を保持してきた。

香港にはもともと「港独」の傾向はなかった。返還後かなり長い期間、香港人の特区政府に対する信任度が下がりつづけたが、中央が実行する一国二制度に対する信任度は相当高かった。香港人の中国への関心は一〇〇年来、脈々と受け継がれてきた。「六・四」から二三年たっているが、毎年（追悼のため）ビクトリア公園で灯される蠟燭（ろうそく）の光は、香港人の「中国心」をはっきり示している。香港人はまた四川省汶川（ぶんせん）の地震、温州市の鉄道衝突脱線事故、李旺陽、劉暁波、艾未未にも関心をもっている。外部の人の目には、とくに台湾人の目には、香港人はあまりに中国化しすぎていると映っている。

近年台頭している香港人の「本土意識」は、「脱中国化」ではなく「脱中共化」であり、大陸の「悪質な社会文化」から脱することである。

香港政治に対する中共の干渉はとっくに「基本法」の限度を超えている。梁振英は立法会での演説で、「『基本法』の規定にもとづき、中央の権力は国防、外交のほか、政治体制、行政、国際交流など多方面にかかわっている。たとえば行政長官と主要な官僚に対する中央の任命権である」と述べた。

こうした話はすべてを言い尽くしたものではなく、事実に反している。一地方がどのような政治体制を実行するかは、これまで憲法すなわち「基本法」が規定している、中央でもなければ地方でもない権力であり、中央の任命権は中央が事前に決定権や同意権をもつことと決して同じではない。たとえ梁振英が、中央も「基本法」に違反して自分勝手に法解釈をし、香港の内部問題である選挙などに干渉する権力をもたないと述べていても、である。

一般市民は、政治上の荒っぽい介入をあまり感じとっていないが、自由行の開放後、大陸人が与える香港市民の生活侵害の深刻化に対しては（敏感に）感じざるをえない。たとえば、粉ミルクの買い占め、双非児童問題、上水站（上水駅）での水貨客の横行、繁華街の商店による大陸客の迎合は言うにおよばず、香港の新築ビルの約二割が大陸の顧客に爆買いされ高騰し、多くの香港人は家を買いたくても門前払いされ、生活はますます苦しくなっている、などである。

特区政府は大陸の特権階層の香港に対する侵蝕に協力し、大陸人の香港への旅行に便宜を図るため数百億香港ドルの公金を使って高速鉄道を建設し、大陸が早くに発表した「環珠江宜居湾区建設重点行動計画」に呼応するため、新界東北の開発に着手した……。

大陸人の顔昌海（エンチャンハイ）は昨年末、みずからのブログに「大陸の特権者たちに追いつめられ、やむなく出てきた『港独』」と題する文章を発表。中共の特権階層がいかにして香港に対し（邪魔者）一掃計画を進め、彼らみずからが大陸の「変天」（世が変わった）時に一家を挙げて香港に移住する逃げ道を残す準備をしているかを、正確かつ詳細に分析している。

米国のジョージ・W・ブッシュ元大統領は、「香港の未来は中国大陸が香港に近づく速度にかかっているのであって、香港が大陸に近づく速度にかかっているのではない」と述べたことがある。また大陸のブロガー岳海（ユエハイ）は長い評論のなかで、台湾の選挙から香港の問題まで論じ、「われわれが喜んで見たいのは山西（省）が香港になることであって、香港が山西になることではない」と述べた。

二〇一二年四月、香港の雑誌「号外」は、北京で艾未未を取材したインタビュー記事を掲載した。艾は香港というこの場所をどう見るかと問われ、次のように答えた。

「香港社会は私の目を開かせてくれた社会である……それはみずからの尊厳、みずからの意志をもち、さらに表現する能力をもち、（香港では）大量の若者たちが自主性をもち、基本的価値を堅持している……私は香港が非常にすばらしい社会だと感じている。彼らが過去におこなったことであれ、あるいは私の今回の事件[*2]後に彼らがとった行動であれ、いずれも私にとって信じがたいことである。香港では、公民がみずからの価値観をもって判断し、ひいては声を発している。私は香港が依然として、中国が民主化を実現するうえでの非常に良い参考であると考えている」

大陸における特権階層の勢いが強く、特区政府も事ごとに協力している厳しい状況下で、われわれがこれを耐え忍ぶのは疑いもなく自殺に等しい。唯一の出口は、われわれが基本的価値を堅持して抵抗することだ。中共が「中国人という看板を鼻持ちならないものにしてしまった」時代にわれわれができることは、中共によって乗っ取られた「中国」という看板と（みずからを）切り離すことである。こうして初めてこの時代に、われわれの一〇〇年来伝承してきた「中国心」を貫徹することができる。

（二〇一二年一〇月二〇日）

香港を「愛」しながら害する人々

「愛港力」の陳浄心[*3]（アンナ・チャン）がテレビで述べた「関係ない」（余計なお世話）という言葉、馬恩国[*4]（ローレンス・マー）が立法会で口汚く英語で罵った「Fxxking Chinese」、田北俊[*5]（ジェームズ・ティエン・ペイチュン）の「冇(モー)・料(リュー)・到(ドウ)」（内容がない）という言葉、さらには自分が接触した市民の梁振英政府に対する満足度は、一部メディアの評論よりもはるかに良かったとする張暁明中連弁新主任の発言……。

新春に飛び出したこれらの言論は、香港政治というこのプレート（岩盤）が異常な動きをしていることを明確に示している。

（祖国への）回帰以降、二代にわたる特区のトップ（董建華、曽蔭権）が組織し、特区政府が依拠する社会勢力は、経済面では大手不動産業者を主とするビジネス界、政治面ではもともとの左派陣営をベースとする民建連と工連会だった。この二大プレートはいずれも北京に従順だが、基本的には香港の伝統的な文明と法律にもとづき事を運んできた。彼らはテレビでの発言や議会で「粗口」（広東語。「卑語」に相当する言葉、粗暴な言葉）を口にすることはないし、公共の場所で拳を振り上げて記者を殴ることもしないし、（不満をもつ）メディアに対し弁護士の手紙を送りつけることもしない。

梁振英は就任後、この二大プレートの支持を欠いた。彼は経済界に基礎がなく、専業団体（梁の本職は測量士、不動産コンサルタント）でもリーダーになったことはなく、金融界では完全に一枚の白紙だった。まさに田北俊の言うように「できる人は彼を馬鹿にしていた」。二大プレートは行政長官選挙のさい、北京の号令でむろん彼に票を投じたが、一部の実力者のあいだでは、公然と彼を担ぎ上げる人はほとんどいなかった。建制派の頭株人物のうち大部分がこの「ペテン師長官」を馬鹿にしていると筆者は信じている。

そこで、裏で中共の支持を得た「愛」字頭の団体が登場した。もっとも身のほどを知らない団体は毎回のデモで梁をもち上げる「愛護香港力量」[*6]で、このほかに法輪功に反対する「香港青年関愛協会」[*7]や「愛港之聲」[*8]などがある。彼らの背後には中共の統一戦線部系統の、あるいは（それが）直接指導する新界の郷紳（地方有力者）と社会団体がある。

「愛港力」の（招集人）陳浄心は、テレビ番組で次のような名文句を吐いた。「私が建制派であるかどうか、あなたに関係ない」。彼女の粗野な態度と修養のなさを暴露したその発言によって、梁を懸命にもち上げていた民建連副主席の蔣麗芸（アン・チャン・ライワン）もお上品に見えるほどだった。愛港力は、われわれが認識しているような建制派に分類するのは確かに難しいようだ。陳はかつて「新界青年連会」副主席の梁錦培（リヨンガンプイ）のアシスタントを務めたが、同連会の名誉顧問には中連弁青年工作部部長の韓淑霞（ハンシユシア）や「ペテン師長官」梁振英が含まれていた。

一年前に登録されたもう一つの団体「香港青年関愛協会」（青関会）は、至る所に横額を掲げて法輪功に反対していることで知られるが、粉嶺にある彼らの所在地は燕京啤酒（ビール）会社が無料で提供したもので、深圳反邪教協会と同じ事務所ビル内にある。

青関会で働いている者のなかに青年はおらず、「関愛」（思いやり）の看板にもかかわりがなく、彼らの職責は法輪功に打撃を与えることである。法輪功はその宣伝が非常に誇張されたものであるが、一貫して平和的やり方を保持し、多くの大陸や海外の人たちは、法輪功が香港で公然と宣伝していることを、香港が宗教の自由と言論の自由を維持している象徴だと見なしている。背後に中共政法委員会の外郭団体である「維穏」[*9]組織があると伝えられる「青関会」が担っているのは、香港の一国二制度を破壊するという任務である。

馬恩国の下品さは民建連を汚染した。民建連は曽鈺成（ジャスパー・ツァンヨクシン）ら少数の人間を除き、基本的に学歴のいくぶん低い人たちで構成されている。伝えられるところによると、二〇〇三年の「七・一」後、民建連が北京に赴き、曽慶紅（ゾンチンホン）国家副主席から「外樹形象、内強質素」（外部で良いイメージを樹立し、内部で質素倹約に力を入れる）八文字の言葉を贈られた。そこで民建連は国外に長らく滞在し、学歴もあるが不甘寂寞（ブガンジーモ）（誰からも相手にされないことに我慢できない）華人をメンバーに引っ張り込んだ。目立つのが大好きで、自分は他人より一段上にいると考えるこれらの人たちは、大陸で共産党に媚びることによって栄誉を享受する道を選んだ。民建連はこれらの人間を引き入れ、香港に根を張るとともに、香港のルールにもとづいて事を運ぶという心をみずから捨ててしまった。

新界の郷事派勢力は、従来から裏社会とつながりをもっていた。香港返還前、英国統治下の香港当局者が裏社会人物と接触することはありえなかったし、もちろん彼らを利用して政策を推進することもなかったが、受け入れ可能な範囲内で彼らの活動を許容した。中共の統一戦線工作は実利を第一としており、黒社会（やくざ組織）にも愛国的なものがあるとする元公安相の名言[*10]がある。その結果、中共が裏で支持する新界の勢力は、ついに梁を担ぎ出す動力となった「愛」字頭の怪胎（鬼っ子）を産み、香港の文明と核心的価値に挑戦するようになった。

筆者は王安石の次の言葉を思い出す。「夫れ、鶏鳴狗盗の其の門に出づるは、此れ士の至らざる所以（ゆえん）なり[*11]」

一九八七年、柏陽（ボーヤン）[*12]が香港に来たおり、筆者は彼と懇談する機会があり、話は「愛国」におよんだ。彼は「この国はもはや愛せなくなった。再び愛せば死ぬほど愛することになるからだ」、なぜなら「一人ひとりがこの国を害する方法でこの国を愛し、この民族を害する方法でこの民族を愛するからだ」

香港ももはや愛せなくなった、再び愛せば死ぬほど愛することになる。なぜなら愛は感情だからで、基準を測るものがないからだ。世界の文明と香港の伝統は、いずれも法のルールにもとづいて事を運ぶだけだったが、梁を支持する「愛」字頭の団体や人士（彼らの背後にいる親方を含む）は、みな香港を害する方法で香港を愛している。

（二〇一二年二月二三日）

愛「国」と愛香港は分離すべきだ

北京の高官は、香港で普通選挙によって行政長官を選ぶことについて「愛国愛港」（国を愛し香港を愛する）の予防線を設け、香港には愛国愛港人士による長期の執政が必要であると指摘するとともに、香港の近年のデモ行進で龍獅旗が出現していることに対し、（香港特区政府の）転覆を図ろうとするものだと再三非難した。

北京の高官と香港の親中共人士は一貫して「愛国」と「愛港」をいっしょにくりつけるが、実際にはこれは異なる概念であり、われわれはこの二つの概念を整理し、区別しなければならない。

毛沢東はかつて「世界には何の理由もない愛はなく、何の理由もない憎しみもない」と述べたことがある。この話は間違っていない。愛国と愛港はつかみどころがないものであってはならず、具体的な内容をもつべきである。つまりなぜ愛するのか、どのように愛するのか、ということである。

まず愛国について話そう。楊衢雲（ヤンチューユン）*13や孫文（スンウエン）*14は国を愛したが、彼らは当時の中国の清朝——女真（満州人）が中国を支配した征服王朝——の統治者を明らかに愛さなかった。なぜなら、国を愛することは逆にそれを打倒することだったからだ。それでは、もしも国家が腐敗し没落した状態にないとしたら、強盛（勢いが強くさかんな）国家の人民はなぜ国を愛さねばならないのか。

「九・一一」（二〇〇一年九月一一日に米国で同時多発的に実行されたテロ）のあと、当時のブッシュ大統領は演説を発表、愛国を語るのは米国人民が憲法によってつくられた国家を愛護しているからだと述べた。ベトナム戦争中、戦争に反対する米国の青年（クリントン元大統領を含む）は兵役から逃れたが、彼らを非愛国的だと言う人はいなかった。一部の人はデモの最中に米国旗を燃やしたが、裁判所は無罪の判決を下した。米国の一般人も彼らを非愛国的だとは考えなかった。なぜなら、米国や現代の民主国家の人民の愛国とは、憲法が彼らに賦与した自由の権利を大切にしているからで、彼らの愛国の内容は具体的には憲法、法治、制度を愛することだからである。

再び香港を見てみよう。返還前、あるいは正確に言うと、前世紀の一九六〇〜七〇年代、香港経済は離陸し、現代文明の秩序を樹立し、香港に居住する多くの人（生まれも育ちも根っからの香港人を含む）や、大陸から移住してきた大量の移民および世界各地から来て香港で仕事をしている人はみな「愛港」の感情を抱いた。愛港の具体的な内容は、香港の法律制度を愛し、法律の保障の下にある自由を愛し、香港の効率や交通・買い物・飲食の面での利便性、簡素化された税制度を愛することである。筆者が当時出会った香港在住の台湾人、西洋人、日本人はみな、心の中でみずから生まれた土地に対し愛情をもっていたが、同時に香港に住むのが大好きだと言っていた。

大陸の有名なブロガー楊恒均（ヤンホンジュン）[*15]は二〇〇七年、香港の（祖国）回帰一〇周年に当たって文章を書き、共産党が派遣する幹部として新華社香港支社（中連弁の前身）に四年あまり勤務したことを明かした。彼が香港で見たのは、英植民地主義者によってもたらされた制度が、徐々に「人権を尊重し、個人の自由を尊重し、法律制度を重んじ、人民はたんに言論、結社、出版の自由を十分享受しているだけでなく、政府を監督する一定の自由と権力を有するところまで変化した」ことだった。「これらすべてが大陸と比較して、いかに違うか、大陸派遣の幹部として香港の体制内部に深く入り込んだ私個人は言うにおよばず、文盲でさえも見てとれるものだ。われわれは人権を欠き、人民は言論の自由をもたず、政府の絶対的権力は制限を受けず、毎日毎時刻、腐敗が生まれている……」

それゆえ香港土着の人と世界各地から香港に来た人の「愛港」とは、主としてこの土地を愛するのではなく、ここにおける制度と核心的価値を愛することなのだ。

この制度は疑いもなく英国がもたらしたものだが、英国においても香港のような成功を獲得できなかった。なぜなら、英国人は香港に住む人々ほど勤勉ではなく、また英国の税金は高く、福祉は過剰なほど行き届いていたからだ。

（祖国）回帰後の初期、見たところほとんど何も変わらなかったことから、香港人は中共の香港に対する約束は本物だと一度は信じ、中央政府に対する信任度は高い位置にあった。愛国愛港は、もし愛国の意味を深く探求しなければ、たとえ愛国と愛港がいっしょくたに縛られようと、どうでもよかった。香港人の多くは当時、英植民地時代への懐旧の念なども たなかった。

二〇〇三年以降、中共が香港の政治・経済・社会に全面的に介入した。その結果、香港人は、中共と親中共分子のいわゆる「愛国愛港」が、われわれの理解するような憲法・法治・制度を愛することではなく、中国への愛でもなく、香港への愛でもないことを見てとった。愛国愛港の「港」は脇添え（引き立て役）であり、いわゆる愛国の本当の含意は「愛党」であり、党を愛さないことはすなわち国を愛さないということである。われわれが見てきたのは党が国をめちゃくちゃにしたことであり、「愛党」から利益を得る以外、あなたのどこを愛せと言うのか、ということである。

回帰後、中共が対香港政策で見せた態度により、香港人は徐々に愛国と愛港を区別して見るようになった。龍獅旗を再び掲げる意義は、香港独立をおこなおうということではなく、香港市民に対し、香港の真の「愛港」精神を呼び覚ますことであり、愛国と相入れない精神、すなわち植民地時代の精神（自由、法治、核心的価値や勤労奮闘の精神を含む）をはらみ育てるよう促すことである。われわれがこれを守ろうとするのは、われわれが愛したこれらのものがすでに愛党愛国によって徐々に侵蝕・破壊され、その結果、香港がますます可愛げのないものに変わったからである。

龍獅旗を再び掲げる意義は以下の点にある。もし愛党こそ愛国という話なら、われわれは国を愛さない。もし愛国と愛港が（下半身がつながった）結合双生児という話なら、香港を愛する者は必ずや結合双生児に対し切開手術を施さねばならず、そうしてこそ初めて生き残ることができる。これは香港の多数の「愛港人士」が普通選挙に対してもっている構想である。

（二〇一三年三月九日）

いまこそ血縁政治と決別しよう

雅安（ヤーアン）地震（二〇一三年四月二〇日、中国四川省雅安市芦山県竜門郷で起きた地震）の募金に対する香港市民や大部分の立法会直選議員の反応は、これまでの大陸の似たような災難に対する反応とは天と地ほどの違いがあり、今回の事件は香港人が血縁政治の文化から離脱する重要な標識になる可能性がある。

被災地救援のため義援金拠出の提案をおこなった林鄭月娥（キャリー・ラム）政務長官と建

制派がかさねて主張したのは「血は水よりも濃い」である。その意味は、骨肉同胞の情誼（真心のこもったつきあい）はわが（中華）民族ではない他の地球人よりも勝るというものである。「血は水よりも濃い」は中国のことわざではない。この言葉がもっとも早く見られるのは中世ドイツの動物の叙事詩のなかだが、一八五九年、ジョシュア・タットル米海軍准将が、極東で米国の中立原則に背いて米艦隊を指揮し、大沽口（ダーグーコウ）（天津の海の玄関口にあたる）で中国と戦っていた英国艦隊に協力したとき、「Blood is thicker than water（血は水よりも濃い）」と語ったことで一躍名言となった。

　この言葉は種族主義の色彩をおびているとともに、歴史的には「帝国主義の中国侵略」の記憶と結びついている。中共政権や親中共人士は、本来ならこの言葉を採用すべきではないが、それが中国の伝統的な政治文化である血縁政治と一致したことで、たんに採用しただけでなく、ほとんど決まり文句のようになった。

　秦以前の時代、荘子（紀元前三六九年ごろ―紀元前二八六年ごろ。道教の始祖の一人とされる）は「君子の交わりは淡きこと水の如し、小人の交わりは甘きこと醴（れい）（甘酒）の如し」との格言を残している。その意味は、友人のあいだでは利害関係や義理人情を重視せず、みずからの主張を堅持し、盲従せず、いい加減に付和雷同せず、事の処理に当たっては家族愛や人情のもめごとから距離を置かねばならないというものだ。「血は水よりも濃い」はすなわち、血脈につながる関係を強調し、家族愛のあいだでは相互に面倒を見るべきだと考えることである。

秦以後、中国は専制主義を推し進め、その特徴は儒学の大家、故徐復観（シュイフグアン）教授が一九八一年、筆者の訪問取材を受けたさいに語った次の言葉に集約される。すなわち「血縁をもって権力を決定する要素と為す。それゆえ宦官、外戚が存在し、皇帝に近い者は誰であれ権力を有する。権力のもっとも基本的な構造は血縁である」

また一九九七年、著名な歴史学者黄仁宇（ホアンレンユー）教授は筆者の取材に応え、次のように語った。

「中国政治の最大の問題は関係（コネクション）や人情を重視することである。一つの同じポストに異なる権力が存在できる。たとえばみなが連隊長であるとした場合、某連隊長が師団長、あるいはもっと高位の人物が親戚、同郷、あるいは昔のよしみだとすれば、彼の権力は他の連隊長よりも大きい」

黄教授は、現代の政治文明は権力と職責の明分性を厳格に規範化し、順位から言うと、権利と義務が最上位に置かれ、人情は二次的地位に置かれると考えている。

さらに社会学者の故費孝通（フェイシャオトン）氏は、中国社会は「熟人（顔なじみ）社会」であって契約社会ではない、それは血縁関係でつながっており、「人と人の権利・義務は親族関係によって決定される」と考えている。人と人は血縁や知り合いを通じて一つの関係網（コネクション・ネットワーク）を築いている。血縁政治により、中国歴代の官僚選抜では一つの例外もなく弊害や腐敗が生まれた。

血縁政治を用いて中国の政治や返還後の香港の歪みを観察すると、すべての禍根が非常にはっきりと見えてくる。なぜ湯顕明[*16]（ティモシー・トン）は、これほど何回も中共の役人を宴会に招いたのか。それは彼らとのあいだで人間関係（コネ）をつくり、双方が融通を利かして事を運ぶのに便利だからである。

なぜ「基本法」で定めた香港トップ（行政長官）の職責範囲の本分を超えて「愛国愛港」を樹立しようとするのか。それは血縁政治の「金の輪っか」[*17]を頭に着け、必要なときは中央に呪文を唱えて金の輪っかを締めつけてもらおうという魂胆があるからだ。

なぜ親中共人士とその宣伝機関（左派系メディアを指す）は、真の普通選挙を勝ちとろうとする香港の人々や団体を、英国統治時代の香港の悪質残存分子あるいは英米勢力と指弾するのか。それは彼らが依拠するものが血縁政治のなかの排外意識であって、香港人の当然もつべき政治的権利に着眼していないからだ。

「天罰」ですら信じない乱暴な専制政権から言えば、天災は絶対に下賜品（褒美）である。それは（花も実もなく）「枯れ枝だらけ」の腐敗した役人にとって金集めの機会であり、さらにはこれによって以下の点を強調できるためである。

①庶民の災難は人為的なものではなく、自然界がもたらしたものだ（たとえば大躍進で数千

万人が餓死したが、中共はそれを三年連続自然災害のせいにできる）、②災害救援を口実に権力掌握者は、いかに自分たちが人民への思いやりを抱いているかを表すことができる、③「血は水よりも濃い」という民族主義意識を呼び起こすとともに、これを利用して人民を愚弄し、民族主義を契約精神や権利義務関係など法制の基礎より上に置くことができる（たとえば彼らは汚職を働き職権を乱用し、法律を遵守しないが、「愛国」を叫んでいる）――など。

数十年来、とくに香港の（祖国）回帰以降、中共は一貫してこうした〝災難民族主義〟の政治文化をもてあそび、香港人も長期にわたり「血は水よりも濃い」の血縁政治にだまされ、英国統治時代の香港がもっていた権力と職責を明確に分ける法制契約精神を徐々に捨て去り、多くの民主派人士ですらも口々に「愛国愛港」を表明するようになった。

非常に多くの人が募金反対と言うのは大陸の汚職があるからだが、筆者は、募金反対は市民が「血は水よりも濃い」とのイデオロギーに賛同しなくなり、血縁政治のへその緒を断ち切って、（香港が）独立した個体になることを望んでいるためと考えている。もしもあなたが、真の普通選挙獲得の背後に英米勢力があると言ったとしても、英米勢力が「基本法」で規定する政治的権利を香港人が享有するのを支持するのであれば、われわれはなぜこれを拒否する必要があるのか。民主を勝ちとることは、つまりへその緒を断ち切って本土（香港）の民主主義を勝ちとることなのだ。

血縁政治のへその緒を断ち切ることは、大陸人民とのつながりを断ち切ることではなく、一つの手本をつくり、大陸人民もこうしたへその緒を断ち切り、人々がみな関係（コネ）に頼らずに生きてゆく自由人になることを望んでいるからである。

（二〇一三年四月二七日）

訳注

1 原文は、「君子は人と善を為すより大なるはなし。これを人より取りて以て善を為すは、是れ人と善を為す者なり。故に君子は人と善を為すより大なるはなし」（公孫丑上八章）

2 二〇一一年四月三日、艾は香港へ行く予定だったが、北京の首都国際空港で出国審査を受けたさいに、二名の出国審査官によって彼の助手と引き離され、他の場所へ連行され、脱税容疑で逮捕された。釈放後の六月末、北京市地方税務局が艾のスタジオに対して、脱税を理由に巨額の追徴金支払いを命じた。艾はこれに抗議して裁判所に支払いの取り消しを求めて提訴した。

3 自称「潮州（チャオジョウ） 辣妹（ラーメイ）」、ハンドルネームは「Sum Chan」。「愛護香港力量」のメンバーでもある。ネット上や大衆を前にした集会で過激な発言をすることで知られる。二〇一四年六月には、「六・四記念館」が入る商業ビルの外でデモをおこない、六・四事件当日の夜、天安門広場で死んだ学生はいなかったなどと述べた。

4 香港執業大律師（法廷弁護士）。中華海外聯誼会理事、山西省政協委員などを務める。二〇一四年、「セントラル占拠」（占中）行動に反対し、一〇月「普通選挙を保持し占中に反対する」大連盟法律顧問の身分で、デモ隊による道路封鎖で経済損失を受けたとする商店主の苦情相談に乗った。

5 返還前、富豪で立法局議員を務めた田元灝（ティエン・ペイハオ）の長男。企業経営者を中心に構成される「香港自由党」の前主席（現在は名誉主席）で立法会議員。弟は新界西立法会議員の田北辰（マイケル・ティエン・プッサン）。

6 略称は「愛港力」。二〇一一年六月に設立された建制派の政治組織。その極端な親政府、親北京の態度は、多くのネットユーザーの反感を買っている。当初から、他党（公民党）の選挙妨害をしたり、学民思潮のメンバーを誹謗中傷したり、一部支持者が取材中のカメラマンを殴るなど、その行動は荒っぽい。現在の招集人は李家家（レイガーガー）。

7 略称は「青関会」。二〇一二年七月に設立された。過激な建制派の政治組織で、その立場は親中共、反法輪功。主席の洪偉成（ホンウエイチョング）は中国系企業「燕京啤酒（ビール）公司」総経理。メディアの報道によると、洪は後方で資金面の支持や企画、中共の地下党員養成の責任者を務める。またロイター電によると、洪は中共統一戦線部の香港における活動の中核メンバーだという。

8 中国深圳市党委統戦部下属組織である「深圳市海外聯誼会」の元理事で商人の高達斌（ガオダービン）がフェイスブック上で立ち上げた組織。二〇一三年三月、社会団体として正式に登録。頻繁にデモをおこなうほか、敵対人士の活動場所に「踏み込み」、衝突を起こしている。「愛護香港力量」との関係は悪い。二〇一七年五月、選挙費用をめぐって内紛が起き、新主席に郭美芳（クオメイファン）を選んだ。

9 「維持社会穏定」（社会安定の維持）の略語。近年、民衆による暴動や騒動が多発しているなかで、中央政府は口癖のようにこのスローガンを唱えるようになっている。つまり「維穏」とは、政権に対する民衆の反発や反抗を抑え、なかば無理矢理に社会の安定を保とうとするもので、それは中共政法委員会の任務となっている。また「維穏費＝公安費用」が国防費を上回っているとされる。

10　一九九三年、当時の中国公安相だった陶駟駒（タオ・スージュ）は「黒社会にも愛国者はいる」と述べ、黒社会を容認する方針を打ち出した。香港における黒社会（やくざ組織）は、三合会（トライアド）を筆頭として、その構成組織である14K、新義安、和勝和など幾種類かの犯罪組織があり、返還後も香港政府・警察、親中派団体、中国政府と〝ひそかに協力〟しながら活動を続けているとされる。
二〇一九年六月から始まった「逃亡犯条例」改正案をめぐる抗議デモに関連して、七月二一日、新界元朗区にある鉄道駅で利用客や通行人が木製や金属製の棒をもった覆面集団に襲われ、四五人が負傷した事件、さらには九月一六日、区議会議員選挙への出馬表明をした岑子傑（ジミー・シャム）氏が、覆面をした二人にハンマーで襲撃され、大怪我をした事件は、いずれも三合会と関係があるのではないかとの憶測が広がっている。

11　そもそも鶏鳴狗盗という類いの人が家の門に出入りするのは、賢い人が彼についてこないことが原因なのだという意味。この言葉は王安石の有名な文章に出てくる「世、皆称す。孟嘗君は能く士を得たり、士故を以て之に帰し、卒に其の力に頼りて、以て虎豹の秦を脱すと。嗟呼、孟嘗君は特（た）だ鶏鳴狗盗の雄なるのみ。豈に以て士を得と言ふに足らんや。然らずんば、斉の強を擅（ほしいまま）にし、一士を得ば、宜しく以て南面して秦を制すべし。尚ほ、何ぞ鶏鳴狗盗の力を取らんや。夫れ、鶏鳴狗盗の其の門に出づるは、此れ士の至らざる所以なり」（『孟嘗君伝を読む』）から抜粋したもの。

12　柏楊（一九二〇―二〇〇八）。中国河南省出身。台湾の作家。本名は郭興邦（グオシンバン）で、のちに郭衣洞（グオイトン）と改名した。共産党の中国制圧後に台湾へ渡り、執筆を開始。小説や歴史書など多彩なジャンルの本を発表した。「台湾の魯迅」とも呼ばれる。台湾や米国でおこなった講演をまとめた『醜陋的中国人』（一九八五年。邦訳は『醜い中国人――なぜ、アメリカ人・日本人に学ばないのか』宗像隆幸訳、光文社、一九八八年）が有名。台湾で政治犯として一〇年近く獄中生活を送った経験から、自由や人権などに深い関心を払い、一九九四年に世界最大の国際人権NGO「アムネスティ」台湾支部を創立し、みずから会長に就任した。

13 楊衢雲（一八六一―一九〇一）、名は飛鴻、字は肇春、別号は衢雲。福建省出身の革命家で、一八九二年に香港で謝纉泰らと輔仁文社を設立。九五年に香港興中会が結成されると、孫文よりも年長であった彼は初代会長に就任。一九〇〇年の武装蜂起にも参加したが、翌一九〇一年、香港で清朝の派遣した政府派の人間によって刺殺された。

14 孫文（一八六六―一九二五）。字は逸仙、号は中山。中華民国の国父・政治家・革命家。初代中華民国臨時大総統。中国国民党総理。初め医者であったが、革命を志し、ハワイで興中会を組織し、清朝打倒運動を開始。一九〇五年に中国同盟会を組織し、三民主義を掲げ辛亥革命を指導し清朝を倒した。宣統三年革命のさい、臨時大総統に選ばれたがただちに袁世凱に譲り、のち袁一派・軍閥派に反対し、広東を地盤に臨時政府を組織した。また三民主義の実現に努力し、国民党の基礎を固めた。「中国革命の父」、中華民国では国父と呼ばれる。また、中国でも「近代革命の先人」として、近年「国父」と呼ばれる。

15 中国湖北省出身。中国外務省に勤務後、二〇〇〇年オーストラリア国籍取得。時事評論家兼ネット作家。著作に『致命弱点』『致命武器』『致命追殺』の三部作がある。オーストラリア外相は二〇一九年八月二七日、楊氏が七カ月前にスパイ容疑で中国当局に逮捕されたと発表、楊氏の帰国を認めるよう中国に求めた。同氏は一九年一月、ニューヨークから広東省広州の空港に到着後、拘束されたという。

16 香港の汚職対策当局、廉政公署（ICAC）の前トップ（廉政専員）、第一二期全国政協委員。ICACは二〇一三年五月、湯に対する捜査を開始する方針を明らかにした。湯は在任中、中国本土から訪問に来た公務員を接待するときに、レシートを分け、名目を替えることで、通常上限以上の費用をかけたことを隠蔽したり、公費で不必要と思われるプレゼントなどを贈ったりするなど、「賄賂」を渡した疑惑を問われた。だが一六年に入り、犯罪成立にいたるまでの証拠が不十分と政府が判断したため、不起訴処分となった。

17　原文は緊箍児（ジングウジョウ）。『西遊記』の主人公、孫悟空の頭にはめられている金輪（金の輪っか）。お釈迦様に捕まり、五行山に封じられた孫悟空は、三蔵法師の弟子となったが、平気で悪人を殴り殺すなどまるで反省したようすがなかった。それを知った観世音菩薩は悟空を封じるべく三蔵にこの金輪を渡した。三蔵法師は観世音菩薩から教えられた呪文を唱えることでこの金輪を締めつけることが可能であり、悟空の乱暴を諌（いさ）めるときに使用した。悟空が天竺にたどり着き、闘戦勝仏として祀られるとこの金輪は外された。

7 無視されつづける市民感情

香港が直面する二つの危機

現在、香港情勢は二大危機に直面している。一つは特区政府に対する公衆の信任度がすでに破産状態に瀕していること。もう一つは市民の「脱中国化」の考えが成長し、中央と特区政府が鋭意推進中の中港融合とのあいだで、ますます激しい矛盾が出現していることである。

特区政府が推進する高齢者手当[*1]（俗に「生果金」という）プランは本来、拍手喝采を得る措置だが、逆に行政と立法の対立局面へと変化した。政府はいわゆる「財政規律」を理由に、「年長者が切実に希望する」と指摘される高齢者手当プランをただちに採択するよう迫った。立法会は、これは立法会を年長者との対立局面に置き、立法会が政府のゴム印（他の機関の命令あるいは意向を受けて賛同、承認する意味）になるよう強制するものだと見なした。

梁振英は、口先では行政と立法の関係を改善する必要があると述べたが、やっていることはすなわち立法会の審議権を尊重せず、行政に対する立法の監督機能を弱めることで、事実上、立法と行政のチェックアンドバランス関係を破壊している。高齢者手当プランは善いことを悪いことに変えてしまった。

最近とられたもう一つの措置は、住宅価格を抑制するためのいわゆる「辣招(ラージャオ)」(元は広東語。強制的に執行する政策あるいは措置という意味)で、社会の評価は政府による市場介入を良いこと、あるいは有用だと必ずしも肯定的にとらえていない。だが少なくとも政府自身は徳政だと考えている。

しかるに、行政会議メンバーの林奮強(フランクリン・ラム・ファンキョン)がこっそりと不動産を売却した事件[*2]が突如暴露された。林の釈明は言えば言うほど混乱し、ますます後ろ暗さが浮き彫りとなり、中原地産(不動産業)の声明とも相矛盾することになった。ある放送局が一昨日の夜、民意調査をおこなったところ、八〇%以上の市民が林の言い分を信用せず、特区トップ(梁振英)が数人の行政会議メンバーの前で林を擁護したことから、すでに低迷している特区政府への信任度をさらに失わせることになった。

近日来、政府が徳政だと自賛している二つの措置が、逆にこのような悪事に変わったことは、梁振英(執政)チームの無能さを顕示した以外に、さらに重要なことは市民に信頼されないこの政府が歩行困難に陥っていることである。たとえば梁が前言を撤回し、その結果、話が前後して辻褄の合わなくなった自宅の違法建築事件、[3]他人の真似をする陳茂波（発展局局長）のインチキな「劏房（タオンフォーン）」（広東語。下宿部屋）貸し出し術、[4]国民教育推進の過程で失脚してもなお権力ポストに恋々とする呉克倹（ウーハッカン）[5]の執着心、林鄭月娥が香港の廉政公署とオンブズマンを指し、政府の施政にとって主要な障害だと批判したこと。そして、こんどまたもち上がった林奮強事件……。

梁の就任から四カ月、すでにこれほど多くのマイナスのニュースが積みかさなっているなか、公衆に対しこのような政府を信任せよとどう教えるのか。米国のケネディ元大統領は「公衆の信任は効果的に執政するうえでの基礎である」と述べたが、梁（執政）チームがすでに執政の基礎をもっていないのは明らかだ。

立法会での質疑応答で、黄碧雲（ウオンビッウン）議員は梁に対し、最近一部の香港人が「ユニオン・ジャック」（英国国旗）を掲げてデモ行進しているが、その結果、北京および左派人士から港独（香港独立）をおこなうものだと黒いレッテルを張られていると指摘。「香港人が大陸とのいっそうの融合について、究極のところとくに疑問や不満を抱いているわけではないと思うが、あなたはこのことを中央政府に伝えたのか」と尋ねた。

黄は香港社会のもつ当面の主要矛盾を指摘したのだが、梁はこれに関心を示さず、厳粛な表情で、あれらの中港融合に不満をもつ人たちに、次のように教訓を垂れた。「香港の（祖国）回帰は国際社会が公認する事実であり、いかなる人も植民地時代の旗をもってみずからの不満を表明する必要はない」と。

植民地の旗をもって不満を表明することに、なんの問題があると言うのか。こうした表明は現在が過去におよばないという、市民の心中にある真実の感情をまさに説明するものであり、これこそもっとも必要かつ最前列に押し出すべき表明なのだ。なぜなら、これこそ現在、大多数の香港人の共通した考えだからである。回帰はもちろん事実だが、回帰後に対する不満はもっと目前に迫った事実である。

中央は香港内部の事柄に干渉しないとの約束をみずから破り、特区政府は行政長官が代わるごとに、よりひどく中央にあれこれとおべっかを使ってきた。数多くの大陸人の香港流入による社会、経済、民生への侵蝕は、すでに市民にとって容認しがたい状況にまで達している。韓国の騎馬楽曲（韓国の歌手ＰＳＹ（サイ）が歌った《Gangnam Style》を「二次創作した」『核突支那Style』がユーチューブで流れると、再生回数は一〇日間で一〇〇万回を突破した。これは大多数の香港人が大陸人の流入に対する嫌悪感と、どうしようもないとのやるせない感情をはっきりと示している。これはきわめて重要な民情である。

だが当局（ひいては立法会議員とメディア）はこうした感覚をほとんどもたなかったようで、

民情指数[*6]は七九・七まで低下した。龍獅旗を掲げようが、都市国家自治論を提起しようが、あるいは「脱中国化」、甚だしい場合「港独」を提起しようが、いずれも言論の自由の範囲に属する。

三十数年前、一人の台湾独立分子（黄文雄（ホアンウエンション）[*7]）が米国で蔣経国（ジアンチングオ）台湾総統の狙撃を企てたことで台独組織はテロ組織に列せられたが、美麗島事件の裁判で、被告の施明徳（シーミンドー）は、人民には台湾独立を宣伝する言論の自由があるとの見解を法廷に提出した。この理論的根拠は、戒厳令時代の台湾の裁判所で認められた。

また六〇年前、米連邦裁判所は米国共産党（米共）が武力で政府を転覆すると鼓吹した事件を審理したが、そのとき裁判官は、米共が軍事力をもたず、その実力は取るに足りない、それゆえ彼らの「鼓吹」はたんなる言論にすぎないとして、有罪とすべきではないとの判断を下した。

現在、香港人は香港独立を蛇蝎（だかつ）のごとく見て、討論することすら忌避しているが、その必要はない。実際のところ、本土（香港）化に関する論述はみな、本土に対するアイデンティティと愛護の感情から出発している。

一九二〇年、毛沢東は「大公報（ダーゴンバオ）」（現在の香港の左派系紙ではなく、当時湖南省長沙で発行されていた新聞）に約二〇編の文章を書き、湖南の自治、全国各省の自治、そして民選政府による「全面的な自治」（当時の湖南軍閥が提起した「湘人治湘（シアンレンジーシアン）」ではない）を極力主張した。彼は、まず各省が独立した「小中国」を建設し、そこから（各省の）連合を進めて連邦制の「大中国」とすることを主張した。もちろん彼はのちに大中国の大権を掌握したのち、変わってしまったが。少なくとも一九二〇年の時点で、彼の主張は必ずしも大逆無道（倫理に背き道理を無視する）とは見なされず、今日から見ても依然として道理がある。

このような次第であるから、香港に一つの「小中国」を建設すると提起することは、言論レベルからすれば、何か「不可」（できない、あるいは許されない）とする理由があるだろうか。現代化した香港は一九二〇年以前の中国に戻るべきではないだろう。

（二〇一二年一一月三日）

訳注

1　香港社会福利署が年配者の永久住民に提供する福利金。一九七三年から「老弱手当」という名目で支給され、支給開始年齢は七五歳だったが、段階的に引き下げられ、一九九一年から六五歳以上となった。これとは別に、二〇一三年一〇月一日から広東省および福建省に長期滞在する香港の年配者にも、香港在住者と同等の福利を提供することになった。

2　林は香港政府が二〇一一年一〇月下旬、不動産価格抑制措置を打ち出す直前、みずからの企業グループ傘下の不動産二件（総額二〇〇〇万香港ドル）を売却、巨額の利益を得た。林が事前に政府の行動を知っていたのではないかとの疑惑をもたれた。

3　二〇一二年六月二一日付の「明報」紙は、梁が香港島山頂璐道（ピールライズ）四号にある住宅地に、広さ一一〇平方フィートの三方密封ガラス棚を建設したが、屋宇署（ビル建設局）へのもともとの申請がフラワースタンドの建設だったことから、「違法建築物」の疑いがあると報じた。梁は「記憶違い」だとしたものの、釈明が二転三転。違法建築事件として一時マスコミをにぎわせた。

4　二〇一二年七月三一日付の「蘋果日報」は、陳が一九九四～九五年、取締役を務めていた景捷発展有限公司を通じて、大角咀（ダイコクスイ）にある多くの建物を購入し、「下宿部屋」として貸し出し利益を得たが、「建築物条例」違反の疑いがあると報じた。陳は、妻が同公司の株主かもしれないが自分は株式をもっていないなどと釈明。しかし、陳の現在の職責がすべての違法建築や建築物条例を処理する発展局の局長であることから、陳の釈明が公衆を納得させられるかどうか、議会で話題になった。

5　香港教育局局長。中国大陸と同じような愛国心を養うため香港で「国民教育」を推進していることに対し、学生から高齢者まで幅広い層の市民が抗議し、デモやハンストに参加した。呉局長は批判に応え、国民教育は「洗脳」ではなく、さまざまな視点から学ぶためのものと反論。問題のハンドブックは教材ではなく、たんなる資料にすぎないと述べた。

6　香港大学民意研究計画が「民情指数」（ＰＳＩ）を策定した。その目的は香港社会に対する香港市民の情緒的反応を計量化し、これによって社会に出現した集団行動を解釈、予言することにある。民情指数は「政治評価数値」（ＧＡ）と「社会評価数値」（ＳＡ）に分かれる。ＧＡは政府の管理統治のあり方全体に対する市民の評価、ＳＡは社会状況の全体に対する評価をそれぞれ指しており、指数自体と二つ（ＧＡとＳＡ）の平均数値が〇から二〇〇まであり、一〇〇が正常さを表している。

7　台湾の新竹生まれ。日本在住の評論家黄文雄氏とは別人。一九七〇年四月二四日、米コーネル大学社会学研究所で博士課程取得に励むかたわら、台湾独立に向けた活動をおこなっていた黄が、訪米中の蔣経国（のちの中華民国総統）をニューヨークのプラザホテルで狙撃するという暗殺未遂事件を起こした。黄はＮＹ市警察に逮捕されるが、その後保釈中に逃亡し、一九九六年まで地下に潜伏した。この暗殺未遂事件は台湾独立派からは「義挙」として称賛されることが多い。関係者によると、暗殺は黄を含む四人（三人はピッツバーグ大学留学生）が計画したという。黄は九六年四月、台湾へ帰還し、二〇〇〇年には陳水扁（チエンシュイビエン）政権のもとで総統府国策顧問も務めた。

8　台湾と香港、新たなアイデンティティの誕生

山西省が香港となるか、香港が山西省となるか

台湾で活躍する映画監督・脚本家の蔡明亮[*1]（ツァイ・ミンリャン）が映画『郊遊　ピクニック』でヴェネツィア国際映画祭の審査員大賞を受賞した。蔡はあいさつのなかで、「二つの国、台湾とフランスに感謝したい」と述べた。記者会見で、中国記者が蔡に対し、中国映画をどう思うかと質問した。

蔡は「どの国でもよい映画を創作できるが、基本的条件は自由があることである。私は、中国の監督がもっと多くの自由をもつことを切に祈りたい。私は昨日、中国の記者と自由の問題について語り合ったが、記者は自分たちが非常に自由だと述べた。そこで私は、外部の人間から見ると、艾未未こそもっとも自由な人で、たとえ獄中につながれようと彼はもっとも自由だ

と述べた」ことを明かした。話し終えると、会場全体が拍手に包まれた。

会見後、こうした発言で今後、蔡が中国によって封殺されるのを恐れないかと問われ、彼は「べつに恐れはしない。これは私が当然言うべきことだ」と淡々と答えた。

情報によれば、香港出身の映画俳優、成龍[*2]（ジャッキー・チェン）は六月、カナダ・トロント市でおこなわれた映画上映会に参加したさい、セントアンドリュース美術館ではちょうど艾未未の作品が展示されていた。艾は中国当局によって同展覧会への出席が禁止されており、これについてカナダ放送協会（ＣＢＣ）の記者が成龍に艾の置かれた境遇をどう思うかと質問したところ、成龍は「艾未未って誰？　私は艾がどういう人物か知らない」と答えた。

ヴェネツィア国際映画祭の審査員大賞を受賞した蔡が、艾未未を中国でもっとも自由な人と名前を挙げたのに、香港の大物映画スター成龍は逆に艾が誰だか知らなかった。彼は本当に艾を知らなかったのだろうか。英国の新聞「ガーディアン」のブログに載った文章は、艾が最近カナダのテレビ局番組とのインタビューで語った言葉を紹介している。それによると、艾は成龍が完全に彼のことを知っており、「知らない」と言ったのはわざと艾を矮小化するためだと見ている。その理由は成龍が親（中国）政府の俳優であり、政権により近づくため極端な演技をしているためだという。

ブログの作者は、成龍の政府への（過剰な）同調ぶりは反対に、みんなに対し、艾がどれほど孤独で、かつ勇敢であるか、艾が自分一人の力で膨大な敵全体に対抗しているかを教えるものだと述べている。

この二つの事柄は、両岸三地（中国大陸、台湾、香港）のアーティストの世界観を反映している。芸術家として蔡が述べた自由とは、人身の自由ではなく思想の自由であり、権力や金銭によって拉致されずに創作し表現する自由であり、たとえ投獄されようと、たとえ巨大な政治権力の抑圧を受けようと、たとえ孤独であろうと、みずからの良心に忠実に従って声を上げることである。真の芸術家の目からすると、このような人こそもっとも自由な人である。

もしもよく知っている人に対し知らぬふりをし、政治的権勢に迎合して利益を得るために良心に背いて嘘をつくならば、たとえ名声や金銭を得て、人も羨む虚栄に満ちた生活を送ろうとも、それは張愛玲[*3]（アイリーン・チャン）が言うように「もっとも嫌悪すべき人は、仔細に研究すると、彼が可哀そうな人にすぎないことが見てとれる」。なぜなら彼は独立した思考も、独立した人格ももたないからである。

大陸のメディアは蔡の受賞のニュースを報じたとき、彼があいさつのなかで述べた「フランスと台湾の二つの国に感謝する」との言葉を省略しただけでなく、彼が記者会見で艾に関して述べた言葉ももちろん省略した。なぜなら、大陸のメディアの主宰者はすべて不自由で可哀そうな人だからである。

蔡は偏見をもち、政府批判の声を自由と言い、親政府の声を自由がないと指摘しているのだろうか。蔡の見解は必ずしも偏見ではなく、専制政権に対する正当な見解である。自由・民主のもとで生まれた政権はいかなる批判の声も意に介さない。なぜなら政治に対する批判と討論は公民の権利、ひいては本分だからである。作家、芸術家、一般人はみな、体制の対立面に立ち、体制と権力の主要な懐疑者となりうる。いわゆる言論の自由とは、異なる見解を表明する自由である。もし政府を支持するのであれば異議を表明する必要はない。なぜなら政府がすでに支持者の望むことをおこなっているからだ。

幫港出聲[*4]、愛港之聲[*5]および（特区）政府に付和雷同する組織や人物……。最近、政府を弁護する学者や専門家、文化人が大量に出現しているが、これは政府の信頼性が（どこまであるか）再三〝底値を探っている〟状況下で、背後で無形の手がひんぱんに「気」（エネルギー）を送っていることを示している。だが、彼らみずからが信用しないのに口に出して言う屁理屈は、ますます政府に対する多くの人の反感を生んでいる。こうした不自由な言論の大量出現は、まさに政府に対する市民の信任度がますます下がっている原因の一つである。

中連弁主任の張暁明は、香港人の創新（イノベーション）競争力がやや満足できる程度にすぎないと批判し、若い人たちに〈微博（ウェイボー）〉や〈WhatsApp〉などでプレイ（検索、チャット）するだけではだめで、果敢にイノベーションに取り組むよう要求した。こうした話は道理がないわけではないが、自由を拒絶する政権を代表する人間が言うのはいささか滑稽である。

香港の過去の成功は、法律の保護下にある自由や批判的精神が無限の創意の発揮を促した点にある。二〇〇八年、台湾の総統選挙ののち、岳海署名の「第三次共和（政）」と題する長編論文が大陸に登場、論じる範囲は台湾（問題）から大陸、香港にまでおよんだ。文章は次のように述べている。

「もし大陸の民間の力が過度に弱いなら……まだ香港、マカオ、台湾という、中央の指令と直接コントロールを受けない『衛星』があることを忘れてはならない。中央の前途は、これら（香港、マカオ、台湾）の制度や文化上の『異数』（希少性）が大陸の伝統的遺伝子によって同化されることにあるのではなく、これら地方の制度や文化が徐々に大陸各地、ひいては中央にいかに影響を与えるかにかかっている。われわれは香港が山西になるのではなく、山西が香港になることを楽しみにしている」

この大陸の賢者は中国の前途がどこにあるかを明確に知っているが、香港にとって命取りになるような政治上の地位がまさに「惑星」ではなく「衛星」であること、衛星としての地位が連綿として続いていることにより大陸の移民や自由行が激増していること、その結果、彼の不幸な予言にあるように、香港の「制度と文化上の『異数』が、大陸の伝統的遺伝子によって同化されつつある」ことを見てとっていない。

自由が色あせ、創意が低迷し、中産階級の移民ブームが徐々に現れはじめた。香港の若者が奮起して始めた本土化の闘い、普通選挙の獲得をめざすセントラル占拠は、まさに荒れ狂う大波を押しとどめ、「香港が山西になる」大勢を挽回しようとするものである。

（二〇一三年九月一一日）

国民党に見る「中国化」と「本土化」の対立

三〇〇人の香港公民が、募金を集めて香港と台湾で梁振英打倒の広告を出したあと、梁サイドから台湾でなぜこのような広告が出たのか「本当の理由がわからない」との疑念が出された。しかしそれから数日もたたないなか、馬英九（マーインジュウ）＊6（総統）対王金平（ワンジンピン）＊7（立法院長）の決闘という政治的な大嵐が巻き起こった。その嵐は台湾の複雑な政治、司法独立、および三権分立の問題に関わるものだが、ここでは詳述しない。だが嵐の発生およびその後の発展は、政治的意義から言えば、香港の三〇〇人広告とつながっており、少し注釈を付け加えると、梁のこの発言が彼自身の先見の明のなさや政治に対する「理解不足」を証明している。

馬と王の苦しい闘いの原因は、（党員の考課や規定違反した場合の処罰などを担う）考紀会委員会が、馬が国民党主席の身分で介入した結果を受け、王の党籍を剥奪し、比例代表制度下で立法委員（国会議員に相当）に当選した王の議員資格を取り消し、王がもはや立法院長（国会議長）にとどまることができなくなったことにある。

ＴＶＢＳの民意調査によると、馬に対する満足度（支持率）はわずか一一％で、往年汚職批判の嵐に見舞われた陳水扁[*8]（元総統。民主進歩党）に対する満足度一〇％という最低記録に迫るものだった。ネットユーザーが起こした「馬に辞任を要求する全民署名」活動は、二日足らずのあいだに一〇万人近くの賛同を得た。

昨日、台湾の「蘋果日報」は「王を滅亡させる計画」の内幕を報じたが、二つの点が注目に値する。一つは、馬が国民党の某元老に対し、王は民進党と手を組んで多くの深刻な事態を引き起こしたので、もはやこれ以上容認するのは難しいと述べたことである。この深刻な事態とは、「海峡両岸（中台）サービス貿易協定[*9]」の立法院における審議・採択を引き延ばしたことである。

もう一つは、すでに交渉の終わった台湾とシンガポールの「経済パートナーシップ協定（ＡＳＴＥＰ）」調印が遅々として進まなかったことである。その原因はシンガポールが、両岸サービス貿易協定の発効後に初めて台湾との経済貿易協定に調印するという暗黙の約束を、中国とのあいだで取り交わしていたことにある。

言い換えると、中共がシンガポールを通じて台湾に圧力をかけており、その結果、馬は（両岸サービス貿易協定が発効しなければ）台湾経済はもっと周辺化（疎外・排除され、取り残されている状態を指す）することを懸念した。馬が王を排除しようとした背後には、両岸の経済的融合を強化したいという動機があったのだ。この動機はまた、中共による圧力で馬が台湾経済の周辺化を心配したこととも関連している。

三〇〇人の香港公民による広告は、「香港は深刻な中国化に直面しており、台湾がこれを鑑とするようお願いする」と強調した。台湾の親民進党系紙「自由時報」は社説を載せ、香港の状況とつなげて馬政権を批判。馬政権は両岸サービス貿易協定を強行採択しようとしているが、貿易協定がいったん実施されると、台湾が香港のあとを追って社会的、経済的苦境に陥るのは避けられず、台湾人はこれに対して強力に闘わねばならないと述べた。

大陸が経済・社会両面で台湾に浸透するのを心配しているのは、必ずしも民進党陣営や同党に近いメディアだけではない。有名な出版人の郝明義(ハオミンイ)は「サービス貿易協定」に反対して国策顧問の職務を辞任したが、その一つの理由は、同協定が国家の安全を顧みていないというものだった。中央研究院社会学研究所の呉介民(ウージエミン)副研究員は、「国を閉ざすのか、それとも中国に閉じ込められるのか」と題する文章のなかで、「小国が、自国に『領土的野心』をもつ大国に経済的に過度に依存することは、重大な国家安全の問題である」と指摘した。

シンガポールの民意調査によると、国民の半数近くは経済成長を犠牲にしてでも外国（主として中国大陸）からの移民による人口増加をスピードダウンさせる必要があると考えているが、その原因は狼を家のなかに引き入れる（悪人や敵を内部に招き入れて災いを招くという意味）ことを懸念しているためだ。台湾は国際的に中共の圧力を受け、経済・貿易面の周辺化を避ける必要があり、馬政権は大陸との経済的融合を強化する道を選択した。

しかし「サービス貿易協定」から直接利益を受けない本土（台湾土着）勢力から一貫して反対された。これは、（同協定が）政治的に是か非かという要因以外に、内在的要因として台湾の多数の人が馬政権を支持しないということがあり、それが今回の事件ではっきり表れたと言えよう。

現在、台湾の政局には以下に挙げるような多くの変数がある。

第一に、国民党上層部（連戦（リエンジャン）名誉主席や呉敦義（ウードンイ）副総統を含む）が陰に陽に馬英九の今回の行動に反対しているほか、王金平をトップとする本土派が馬に対しいっそう反感をつのらせている。それゆえ、立法院での新院長選びで現副院長の洪秀柱（ホンシユージュ）がすんなり後任に選出されるとはかぎらない。

第二に、情報によると、国民党の「四大家族」（呉敦義、連戦、郝龍斌（ハオロンビン）、朱立倫（ジューリールン））が王を支持しているため、国民党内では馬打倒の動きがひそかに起きている。

第三に、来年「九合一選挙」と呼ばれる統一地方選挙が初めておこなわれるが、現在の情勢から判断すると、国民党が大敗する可能性が大きく、もし敗北すれば馬が責任を負うべきとの声が党内に出ている。

第四に、もっとも恐ろしい可能性は王が別の政党を組織し、国民党内の本土勢力の大部分を引き連れてゆくことである。そうなれば国民党はただ少数の外省人を代表するだけの、周辺化された政党に転落してしまうだろう。

ことはどうであれ、台湾の将来の発展は、大陸とは明らかに分裂する方向へと歩むことになろう。香港公民三〇〇人による広告が出たあと、親国民党系紙「聯合報」は社説を発表。香港人の境遇に同情すると同時に、香港の「中国化」の核心は自由行にあるのではなく、政治制度のうえで自主性をもてないことにあると述べた。台湾はすでに政治の民主化を実現し、「人民が主人である」という意義から言えば、台湾は「中国化」を心配する必要がなく、今後の問題はいかにして「台湾式民主化」の質をレベルアップさせるかということかもしれない。私の見るところでは、香港も台湾の民主的かつ共産党拒否の道を歩むしかなく、そうして初めて現在の苦境から抜け出すことができる。

馬と王の対決は中国化と本土化の対決の可能性が大きい。一時の勝負ではなく長期の勝負で見ると、本土にアイデンティティをもつ民主主義が必ず勝つであろう。中共が香港を回収したとき、台湾に対し「率先して模範を示す」ことが必要だと述べたが、「香港を鑑とする」のがこのうえもない皮肉に変わるとは思ってもみなかったであろう。

（二〇一三年九月一四日）

中国の汚職と巨大格差から何を学ぶべきか

かつてある人が、中国問題の専門家になるのはもっともたやすいことだと述べたことがある。その理由は、何の研究もする必要がなく、新たな課題や新たな情報を掌握する必要もないからだ。つまり、中国政治が五〇年間不変であることや、長老政治、垂簾聴政（チュイリエンティンジョン）（皇帝が幼い場合、皇后・皇太后のような女性が代わって摂政政治をおこなうこと。院政の意味）など、いくつかの斧を使って分析するだけで十分だということである。

中国共産党で毎回、何か慣例に従う大きな動きがあるたびに、社会には一部の楽観的な分析が出現する。たとえば胡錦濤・温家宝が権力の座に就いたとき、ある人は胡温の新政と述べ、党一八回大会が開催されたときは習近平・李克強の新政と胡錦濤の裸退（完全引退）[*10]の意義や、習が党大会の演説でどれだけ「人民」を強調したかを説明。さらに習の父親（習仲勲（シージョンシュン））が改革派であり、習家と胡耀邦、趙紫陽の関係を取り上げたが、これらはすべて習の改革に対する片思いの期待を示すものだった。

だが新政権に対するどの期待も、以下に述べる中国社会の基本的現実から離れることはできない。第一に、特権（資本主義）経済の発展により富がますます一部の人の手に集中している。第二に、役人の汚職腐敗の気風が蔓延している。第三に、役人の蓄財と官僚・商人の結託により、富豪特権階層が形成された。第四に、貧富の格差がたえず拡大し、各地で（デモや暴動など）集団抗議事件がますます深刻化している。第五に、多くの官僚や富豪が家族や財産を国外に移している。こうした基本的現実のファクターが主導している状況下で、改革のチャンスがあるだろうか。

今年六月、ボストン・コンサルティング・グループ（本社、米国）が「グローバル・ウェルス（世界の富）」と題する報告書を発表した。報告書によると、一〇〇万ドル以上の富をもつ中国の富豪家庭の数は一四〇万戸（世界第三位）で、家庭の財産が一億ドル以上の超富豪は前年より二〇％増の六四八戸（世界第五位）だった。米国の経済誌「フォーブス」の評論は、「二〇〇九年、中国の超富豪の数はまだ世界ランキング一三位だったが、（短期間に）これほど飛躍的増加を実現した国はない」と述べた。

富の集中度については、中国の権威ある部門の報告書「人民政協（政治協商会議）報」二〇〇九年版は、〇・四％の人が富全体の七〇％を掌握していると述べている。

過去一〇年あまり、富は以下のいくつかの方式を通して高度に集中した。

第一に、国有財産は制度改革のなかで少数の人間によって山分けされ、個人財産となった。第二に、官僚と商人の結託により、少数の人間は公共資源や公権力を利用して私腹を肥やした。官界を辞めて民間に下りビジネスを始めた役人は、人脈関係を利用し、大量の公共資源（たとえばエネルギー、鉱山資源、商業貿易、金融、通信分野など）を掌握する官僚と利益共同体を形成し、現役官僚はみな公然と、あるいはこっそりと株主になり配当金を得た。こうした官商合作は株式市場や不動産において内外結託という形をとり、狂気のように蓄財を図った。第三に、多くの中小企業は工商税務官僚に賄賂を贈り、脱税・減税で利益を獲得。他方で工商税務官僚も企業に対して獅子のような大きい口を開け、税の減免措置の見返りに賄賂を受けとり、利益を得ている。

別の報道によると、一億元以上の富をもつ超富豪のうち、九一％は高級幹部の子弟だという。中国の貧富の格差はますますひどくなっている。二〇〇七年アジア開発銀行（ＡＤＢ）が発表した「アジアの分配不均衡」と題する研究報告書は、中国のジニ係数が二〇〇四年にすでに〇・五近くになり、世界でも貧富の格差が深刻な国の一つになったと指摘した。〇・四はジニ係数の警戒線であり、いったん〇・四を超えると、それは国民の富がすでに少数の群体（階層）に高度に集中していることを示している。中国のジニ係数は三〇年前の改革開放初期の〇・二八から〇・五近くにまで上昇。近年引きつづき上昇しているとみられるが、中国国家統計局はもはやジニ係数を公表しなくなった。[*11]

習近平は党総書記に選出されたさいの演説で、「ともに豊かになる」道を再度提起し、一部の人は、彼が鄧小平の「少数の者が先に豊かになる」や江沢民の資本家入党推進の政策を修正するものだと考えた。

だが役人の汚職腐敗の気風が横行する現実のなか、各レベル権力掌握者の利益は深くからみあっており、習にたとえその心づもりがあっても、どのような改革ができるだろうか。汚職腐敗に反対する？　官僚の財産を公開する？　「ともに豊かになる」？　（そうしたスローガンは）もう結構だ！

中国はすでに泥沼にはまっている。各レベルの役人はこの国に対し自信を失っており、九〇%の官僚の家族、八〇%の富豪がすでに移民を申請したか、あるいは移民の願望をもっており、大陸官僚の多くはみな「裸官」である。（党・政府）高官や富豪も近年、急スピードで国外に財産を移転しはじめており、英国のある統計によると、中国の富豪が海外に移転した資産総額は一兆一八九億ドルに上った。それは世界的に見ると、海外に移転された隠蔽資産（富）の五%を占め、すべての新興国家のランキング中でトップである。

このように大きな国土をもつ国家の支配階級や既得権益階層が自国に対し自信を失い、一方で（人民の財物などを）搾りとり、他方で退路を真剣に考えていることは、確かに世界でもまれである。

　筆者は、中国情勢に対するもっとも巨視的で、しかも急所を突く評論は、艾未未がツイッターのフォロアーからの「中国の未来はどうなるのか」との問いに返事した回答にあると考える。艾は言う。

「中共国がまだ存在しているとき、中国の未来は上がったり下がったりする株式市場のK線図のようなものだ。それは毎回、市場救済（措置）を講じて株価が回復するたびに、巨大な社会的資源を消耗するが、管理者の利益獲得は停止したことはない。最終的に資源が消耗し尽くされ、すべての価値観が崩壊し、美しい言葉ですら消耗し尽くしてしまう。人々に残された動物性（本能や生命力を指す）だけが、その場ですぐに復活できる唯一の希望である。われわれは各個人間の信頼性を探す努力をしようではないか」

　これこそ中共国であることを記憶にとどめてほしい。党一八回大会での人事更迭は、巨大な社会的資源を浪費する「市場救済と株価回復」であり、執政者（管理者）の利益獲得はいまだに停止したことはなく、最終的にはすべての美しいものを消耗し尽くしてしまう。希望はただ各個人のあいだで信頼性を探すことのみにあり、権力掌握者に対する信頼性を探す必要はない。

　大陸各地の集団抗議事件は、一〇年前の毎年八〇〇〇件あまりから、二〇一二年には一六万件へと激増した。幻想を捨てて闘いを準備することが大陸の動向である。香港の動向は幻想を捨てて自己防衛を準備することである。

（二〇一二年一一月一七日）

訳注

1　一九五七年マレーシアのクチンで生まれた。二〇歳のときに台湾に渡り、中国文化大学演劇科で映画と演劇を学んだのち、八四年から脚本家として活動を始め、同時にテレビドラマの演出も手がけた。九二年初の長編『青春神話』を発表。九四年、長編二作目の『愛情萬歳』が第五一回ヴェネツィア国際映画祭のコンペティション部門に出品され、金獅子賞を受賞。九七年には三作目の『河』がベルリン国際映画祭で審査員グランプリを受賞。一三年長編一〇作目となった『郊遊　ピクニック』が第七〇回ヴェネツィア国際映画祭で審査員大賞を受賞し、金馬奨（台湾）では一九年ぶりに監督賞を受賞した。また、本作を最後に商業映画界から引退する意向を示した。

2　恵まれた身体能力を活かして、暗い復讐劇が多かったカンフー・アクション映画の世界に、コメディ映画の要素を取り入れた、コミカルで明るい作風のカンフー映画を送り込み、アジア圏で一躍有名になる。その後ハリウッドにも進出し、数多くの映画に主役として出演。代表作は『プロジェクトA』など多数。天安門事件では、香港で中国の民主化を支援する活動に参加したが、返還後、完全に「親中派」に変身。二〇一〇年上海国際博覧会の広報大使に任命され、一二年中国人民政治協商会議の委員にも選出される。一九年「逃亡犯条例」改正案をめぐる香港の混乱に対して「みんなの『紅旗の守り人』としての思いを表現したい」と述べ、香港政府・中国政府を支持するキャンペーン「五星紅旗を守る一四億人」（中央広播電視総台が始めた活動）に参加した。

3 張愛玲（アイリーン・チャン、一九二〇—九五）。中国の小説家。代表作に『金鎖記』『傾城之恋』『半生縁』『怨女』『赤地之恋』『秧歌（ヤンゴー）』などがある。小説家としての執筆活動のほか、香港電懋（でんぼう）電影公司の『南北一家親』など六本の脚本を書いたほか、翻訳、考証に携わった。

4 幫幫香港出聲行動（略称：幫港出聲。英語表記は Silent Majority for Hong Kong）は、二〇一三年に設立された建制派の政治組織。周融（ロバート・チョウユン）など建制派の学者、工商業界関係者、専門家四〇人以上で構成され、その政治的立場は泛民主派とは敵対関係にある。

5 愛港之聲（英語表記は Voice of Loving Hong Kong）は、中国深圳市党委員会統一戦線部の下部組織、深圳市海外聯誼会的前理事の高達斌がフェイスブック上で立ち上げた組織。急進的建制派に属する非政党政治団体で、組織を動員して梁振英を支持。二〇一七年の行政長官選挙では方針を改め、林鄭月娥支持に回った。

6 祖籍は中国湖南省。外省人の第二世代。香港の九龍で出生後まもない一九五〇年、両親とともに台湾に移住。国立台湾大学法律学院法律系卒業後、ハーバード大学に留学。博士課程修了後は法律家としてのキャリアを積み、八一年に帰台。蔣経国総統の英語通訳（英文秘書）を担当した。台北市長を経て二〇〇七年から総統を二期務めた。総統就任後に中国とのあいだで「三通」（通商、通航、通郵）を実現させるなど、中台関係の改善に尽力した。

7 台湾高雄州（現・高雄市）生まれ。一九七五年、中国国民党から立法委員選挙に立候補して当選、政界入り。九九年から立法院長を務め、李登輝（リードンホイ）元総統に近く、国民党内「本土派」の代表的人物ともいわれる。二〇一四年、中台サービス貿易協定に反対する学生たちが立法院を占拠したさいには、立法院などの監視機能を定めた法令案が法制化されるまで同協定の審議をおこなわないと表明するとともに、学生側に議場から撤退するよう呼びかけ、学生の退去取り付けに成功した。

8　台南県生まれ。小作農家の長男として貧しい幼少年時代を送ったが、学業に励み成績優秀。台湾大学法学部在学中にトップの成績で国家司法試験に合格し、当時最年少の弁護士となる。美麗島事件の被告弁護団参加をきっかけに政治の世界へ。「台湾独立」綱領を掲げる民進党に入党。台北市長を経て二〇〇〇年から総統を二期務める。台湾の本土化運動を推進する総統として期待されたが、側近や家族等のスキャンダルに加え、みずからも総統府機密費流用および資金洗浄容疑などにより退任後の〇八年一一月、台湾最高検に逮捕され、起訴・有罪となった。

9　中国と台湾が二〇一〇年に締結した「経済協力枠組み協定（ECFA）」にもとづき、一三年六月に調印した具体化協議の一つ。中台間で調印された貿易協定。金融・通信・出版・医療・旅行など、サービス関連の市場を相互に開放し、新規参入を促すことで、経済・貿易の活性化を図ることが目的。中国は八〇項目、台湾は六四項目を開放する予定。だが一四年三月に起きた、同協定への批准に反対する「ひまわり学生運動」が原因で発効されていない。

10　前任者の江沢民が引退したとき、党総書記、国家主席のポストを辞任したものの、党中央軍事委員会主席の地位を手放さず、二年間保持した。江はさらに自身の派閥である上海閥から呉邦国（ウーバングオ）、賈慶林、曽慶紅、黄菊（ホアンジュイ）、李長春（リーチャンチュン）を中央政治局常務委員に配置し、事実上の〝院政〟を敷いた。二〇〇四年、中央軍事委主席のポストを胡に譲り渡したが、胡派との権力闘争が続いた。この教訓を踏まえ、胡は引退時に前例の踏襲を拒否し、党総書記、国家主席、中央軍事委主席の三ポストを同時に辞任した。

11　グローバルノート（さまざまな分野での国際統計データを専門に取り扱うインターネットサイト）の世界のジニ係数国別ランキングによると、二〇一六年の中国のジニ係数は〇・五一で、南アフリカに次いで二番目に高い。それなのに、一九年九月四日の新華社電は、「逃亡犯条例」改正をめぐる香港での抗議活動の背景を分析したなかで、香港のジニ係数が〇・五三九に達した（一六年の統計）など民生の悪化をいろいろと論じた。大陸でのジニ係数には一切触れず、香港のそれだけを取り上げる視点は、まさに「自己の欠点を隠して相手の欠点をあれこれとあげつらう」中共官製メディアの典型的見本である。

9 「一国」の圧迫が生んだ「二制度」の自主意識

進展する香港の「本土化」と「過激化」

近年来、本土化の社会思想の流れが台頭し、政治的権利と社会的権利の獲得をめざす運動も過激化する趨勢にある。二〇一三年八月四日、旺角（モンコック）の街頭に数千人が集まり、青関会や愛港力などを支持する団体や警察・公安に対し大声を出して抗議の声を上げたが、これは本土化と過激化が具体的に表れたものである。現在気運が盛り上がりつつあるセントラル占拠（占中）運動には、本土化の色彩があるが、組織者が宣言した「愛と平和」は過激派の挑戦を受けている。

本土化と過激化は、多くの香港人にとっていずれも過去には見慣れないものであり、あまり同意できないものだった。なぜ近年流行し、しかもますます激しく演じられるようになったのだろうか。

香港は過去一〇〇年あまり、中国の周辺部にある英国の植民地で、大陸からの移民や難民をたえず受け入れてきた場所である。香港の人口構成を見ると、圧倒的大部分が一九四九年以降に香港に来た人たちである。われわれが追い求めたのは、大陸の激動する情勢の外にあって、仕事を楽しみ安心して生活ができる環境である。

大陸の政治運動と独裁政治が香港人に与えた心理上の最大の影響とは、つまり（自分が）一貫して難民あるいは通りすがりの客であるという精神状態であり、彼らは香港で得た幸運が「借り物の土地、借り物の時間」という永久に続かない時の運であると考えた。通りすがりの客は香港を跳躍板と見なし、いつも心のなかで、この機会を利用して中国から遠く離れた海外に飛び出そうと考えていた。彼らは香港に根を下ろし、香港に帰属し、香港を永遠のわが家と考えたことはなかった。永遠のわが家でない以上、当然のことだが、本土意識は生まれなかった。

一九七〇年代中期まで、文革や六七年の香港暴動も香港を動揺させることはなかった。英国統治下の香港政府の清廉な政治、住宅および社会的公平を保障する措置、香港経済と現代文明の離陸によって、アジアの大多数の国々をリードした。その結果、香港市民は徐々に香港に対する帰属感をもつようになっていった。だがこうした帰属感は必ずしも本土意識となるわけではない。なぜなら北方（北京）に強権政治があり、また（香港が）植民地であるという本質から、香港人は自己の運命をみずからの手で掌握できるとは考えなかったからである。

前世紀の八〇年代、香港の主権を回収するとの中共の意向が明らかになったあと、香港では共産党を拒否する思想の流れがどっと出現したが、本土（香港）に立脚して独立、連邦あるいは邦聯[*1]、公民投票などを主張する者はごく少数にすぎず、これに応えるような声が聞かれなかった。もっとも多くの人が支持した主張は、英国が主権と統治権を引き換える、言い換えると英国による継続的な管理統治を延長することだった。

共産党拒否の考えが、中国による香港の主権回収に対して与えた最大の影響は移民ブームである。これはあるいは、悪い運命に直面したとき頑強に闘うのではなく逃げるという中国人の民族性から来ているのかもしれない。逃げる本質は本土（ホームランド）を守ることではなく、主人を選ぶことである。香港人の共産党拒否の思想は本土意識の欠如をその根源としている。

英国統治時代の香港人の大多数は、法治があって安心して暮らせるこの「借り物の土地」でただ生計を立てることに精いっぱいで、政治に関与する人は圧倒的に少なかった。英国人はこれまで一貫して英国の政治を香港にもちこんだことはない。六七暴動、文革、改革開放、「六・四」が、香港人とりわけ民主派に与えたものは「民主中国の建設」（という夢、理想）だった。それは香港の民主化をもたらすことができる中国の民主化を勝ちとり、それによって香港の法治と自由を保障するという考えである。これこそ大中華民主派の社会意識の基礎である。

大多数の香港人はみな避秦[*2]（災難を避けるという意味）して生活の安定する香港に来たのであり、彼らは運よく不幸を免れて幸せという気持ちで、安定した仕事と生活を大切にした。したがって香港の環境がどのように変わろうと、香港人はそれに適応するためみずからを調教した。たとえば造花、かつら、紡織、ファンデーション、中継貿易、さらには工場の大陸移転、香港でのサービス業・金融業の発展などなどで、香港人の業種転換はきわめて融通無碍だった。

一九九七年の香港返還時には、まず移民し（それからようすを見て）香港に戻ってきたのもその適応性の表れである。多くの香港人は過激な抵抗をおこなう意図をもたなかった。八〇年代以後、大量の中産階級が出現したが、中産とはまさに社会のもっとも安定した、もっとも保守的な階層であり、過激な階層ではなかった。それゆえ過激化も本土化と同様、過去に存在した思想でもなければ，植民地香港の英当局あるいは何か外国勢力が香港人に与えた思想でもなく、返還後のこの数年に初めて出現した思想である。

この思想の流れは若者のあいだでとくに燃えたぎっている。泛民主派の主流は一貫して中国意識のなかで民主化を勝ちとるという意識にとどまっているため、彼らは民主化運動と社会運動で傍観者になるとともに、徐々に周辺に追いやられていった。民主派のなかの本土派と大中華派の対立、本土派のなかの過激派と穏健派の矛盾は、香港が民主主義を勝ちとり、固有の核心的価値を守るうえでキーポイントとなる問題である。（こうした対立や矛盾が）将来どのように発展するかは、香港の命運をみずからの運命ととらえ関心をもつすべての香港人にとって注目に値する。

一九九七年の香港返還後、特区政府のトップ（行政長官）の董建華と特区政府の人気はすこぶる高く、中央政府と一国二制度に対する市民の信任度もかなり高かった。このことは、中共の往時の業績が香港に与えた印象がよくなかったものの、香港人は本土意識がかなり薄く適応能力が超人的に高いことから、結果として一国二制度を受け入れることができたことを物語っている。もしも香港が返還から二年間続いた体制、すなわち特区政府トップが前香港総督に似た役割を有し、すべての管理統治が政務長官の統括する公務員の隊列によっておこなわれていたなら、香港の局面は変わったとしても、その変化の速度はいくらか遅くなったであろう。

二〇〇〇年、江沢民が香港の祖国回帰一周年祝賀大会で、「行政長官は特別行政区の首長でもあり、特区政府の首長でもある」と述べた。このことは、中央が特区トップに対し、政務長官から各政策局を統括する権力を回収するよう要求したことを示している。そこで二〇〇二年、高官の問責制度のカギとなる変更がおこなわれた。問責制度のうちの政治問責は、社会にその政治的基礎をもたず、非政党政治の結果、特区トップは立法会において票をもつ（多数決で罷免される）こともなかった。

政治問責は一方では、施政が経済ひいては中央の活気にも影響をもつ富豪に傾斜し、不動産覇権[*3]を生むとともに、他方では政治的にますます中央の命令を聞かざるをえなくなる方向へと変質していった。もともと公務員は法律の命令を聞くという（香港の）伝統が人治によって蚕食され、社会の富は二極分化し、矛盾は日増しに先鋭化している。

二〇〇三年、SARS（サーズ）の大陸から香港への蔓延は、香港人の警戒心を呼び起こし、董建華政府による基本法二三条（国家安全条例）立法化推進の動きは、香港人の自由と法治（侵害）に対する許容限度を刺激し、五〇万人の大規模デモ行進が出現した。これは香港人の本土意識が初めて目覚めたものと言えよう。中共は大デモ行進という政治情報に高度に警戒的となり、香港の内部の事柄に口出しを始めるとともに、自由行の開放によって香港の社会・経済への浸透を強化した。

これと同時に、中国大陸の経済発展は（人口全体から見て）比率が少ないものの数多くの特権階層を生んだ。彼らは過去において香港の基本法や法制を尊重してきたが、香港に対し傲慢になった。この一〇年来、中国の特権資本主義が急速に発展し、特権者たちは香港を資金洗浄（マネーロンダリング）や海外へ移住するための跳躍板として利用してきたが、香港固有の法治、自由（とくに報道の自由）、清廉な政治はいずれも彼らの香港での活動にとって不利となった。それゆえ、かりに鄧小平が当初、香港での一国二制度を実行するに当たり、香港がもともともっている自由と法治が中国の発展に有利と考えていたとしても、香港が引きつづきこのような核心的価値を維持することは、いまや中共の特権者たちの利益に大きく抵触するものになったのである。

過去一六年のあいだに中国は変わり、香港も変わった。中共および大陸の社会が香港の政治・経済・社会を全面的に侵蝕したことにより、香港人、とりわけ若い人たちの本土意識は二〇〇三年から一貫して上昇しつづけた。社会運動はスターフェリー、クイーンズピア両埠頭の保存や高速鉄道反対から、イナゴ反対、大陸妊婦の香港での出産反対、双非児童受け入れ反対、大陸人による粉ミルク買い占め反対、水貨反対、大陸の劣悪な文化反対、マルチ出入境許可証反対、さらには特区政府の施政、すなわち国民教育や新界東北の開発、「中港融合」などあらゆる政策への反対にまでおよんだ。社会運動のすべての出発点と目的はみな、大陸を拒否する本土意識にもとづいている。

香港人の本土意識は中共によって無理強いされて出てきたものである。本土意識の目覚めは本来ならば民主的発展の基礎だが、香港の主流民主派は長年中国意識の主導下にあり、近年の本土（香港）を守るすべての運動に対し、参加するとしても反応が遅く緩慢だった。こうしたもともと経験面での限界をもつ先天的欠陥によって、大中華民主派の社会意識は徐々に本土派の意識に凌駕されていった。

政治面では、公民投票と政治改革という二つの闘いが展開された結果、民主党はさらに周辺部に追いやられていった。民主党がかつて提起した普通選挙の指名委員会に関する構想は、ネット上で罵声一色の批判を浴びた。筆者は、同じ構想がもしも一〇年前に提起され、普通選挙を促進していたら、社会的に賛同する声のほうが反対の声よりも多かったと思うが、時代は変わった。

穏健民主派は時代と並行して本土派に融け込むことができず、依然として中共との妥協を模索しており、（本土派に融け込むどころか）反対に本土派をいっそう刺激し、その結果、本土派の声と行動はさらに過激化していった。中共に対する失望や過激派の刺激もあって、主流民主派は「占中」に参加することを決定した。占中は穏健民主派の過激な行動であり、また穏健、過激両派が融合するうえでの最大公約数でもあった。

だが「和理非非」（和平、理性、非暴力、非粗口＝下品な言葉を使わない）という占中は、過激派の勇武（勇気をもって大胆に行動する）の要求を満足させることはできなかった。

近年、本土化を主張し大陸を排斥するすべての文章（香港独立を主張するような文章を含む）はネット上でのクリック率がすこぶる高く、メッセージも広く支持された。たとえば八月九日、陶傑[*4]（チップ・ツァオ）のコラム「名菜」に載った「津波がやってきた」のクリックは一〇万回近くに上った。

「和理非非」を主張したもの、あるいはすでに大中華民主派人士の文章とレッテルを張られた文章、あるいは彼らの主張に関する報道はすべて冷遇と批判的嘲笑を受けた。本土化と過激化は、香港のネット世界ではほとんどすべてを圧倒する情勢であると言ってよい。

現実の政治から考慮すると、大きな怪獣である中国が政治・経済・社会の各方面に全面的に侵入してくると、香港人は逃げるべき場所もなく、力の対比について言えば、香港人の本土を守る自主的抵抗が勝利する公算がゼロと言っていいほど力の開きがある。それゆえ、疑似共産党員の特区トップ（梁振英を指す）の就任後、すべてにおいて時代に逆行し、香港人にはどうにもならない局面が出現すると、多くの人はまたもや逃げる準備を始め、移民ブームが再び出現した。だが同時に、本土意識をもって民主主義のために徹底的に闘うと決意した香港人、とりわけ若い人たちも多く出てきた。

当面の情勢は、中国の特権資本主義の道が改まることはないし、梁政権の「やくざ主義」化や、中国の特権階層と協力して（香港の）民主・法治・清廉な政治を解体する方向は変わらないし、民主主義を勝ちとり、（香港の）零落（落ちぶれること）に反対する本土化と過激な抵抗の流れも変わらないであろう。ネット世界で表明されている声は、争えば勝算なし、争わなければ香港は座して死を待つのみ、である。

（二〇一三年八月一七・二二日）

裏切られた被災者支援

四川地震の被災者への義援金に反対する香港人の多くは、その理由として前回の汶川地震での義援金がどこへ流れたのか不明であることを挙げた。だが実際のところ、義援金の行く先ははっきりしていた。二〇〇八年末、全国の公務委員の報酬が大幅にアップしたさい、地震被災地区の綿陽では超豪華な政府庁舎が建てられ、映秀鎮（町）政府は豪華な車をまとめ買いし、中国紅十字会[*5]の郭長江（グオチャンジアン）副会長は一〇〇万元以上もする有名ブランドの腕時計を身に着け、息子の郭子豪（グオズーハオ）は時価一〇〇〇万元以上の名車を乗りまわし、中国紅十字会商業総経理（社長）を自称する郭美美（グオメイメイ）はネット上でその金持ちぶりをひけらかした[*6]。これこそ義援金のかなりの部分が消えた行き先である。

香港で二〇〇億香港ドル以上集められた義援金の分け前をもらった特権者たちのうち、一部は香港に来て金（ゴールド）や有名ブランド品を買いあさり、香港人の生活空間を圧迫するとともに、「大陸がなければ、あなたたちの香港はとっくに破滅していたよ」とうそぶいた。

義援金は刃物で削り取るように各レベルでかすめ取られたあと政府の懐に入ったが、一部は治安維持費に充てられ、大陸の人権活動家を弾圧するために使われた。人権活動家のなかには、当局に対し手抜き工事の校舎を調査するよう要求した人や死亡した人数と名簿を発表した人など、真心をもって被災者支援に当たった人なども含まれている。また治安維持費の一部は、香港の民主化を訴える活動に弾圧を加えるため、香港の「愛」字頭団体に支給された可能性がある。

中国の被災者に向けた義援金の行き先は明確である。すなわちそれは各層（レベル）の汚職官僚や治安維持に当たる政府の懐に入ったのである。「教育省は教育の敵であり、衛生省は衛生の敵であり、文化省は文化の敵である」との大陸のメディア人程益中（チョンイージョン）の名言があるが、現在さらに「中国紅十字会は災害救助の敵であり、災害の友人でもある」との一項目を追加できよう。災害の友人でもあるというのは、災害がなければ彼らは副収入を得られないという意味である。

そこで中共の官僚たちは、災害が起きるのをひたすら望んでおり、災害が起きて初めて彼らはさまざまな「着数」（広東語。メリットの意味）を得られるのだ。たとえば一昨日、ネットユーザーは災害救助に関する一つのスキャンダルを実名入りで明らかにした。それは、中江県紅十字会の工作要員が成都のある製薬工場で災害救助薬品一万元あまりを購入したが、そのさい、五万元あまりの領収書を要求したというものである。災害がなければどうやって災害救助で財をなすことができようか。

ペテン師長官の梁振英は、香港は財政的、感情的に大陸同胞への支持を表明すべきであり、災害救援のため一億香港ドルを支出したいと表明した。梁は義援金の行く先に関する質問に答え、国家の汚職反対・腐敗防止の措置を支持すると述べた。だが彼にそのような能力があるだろうか。彼の発言は「防」と「反」の二字は余計であり、彼が香港に義援金支出を要求するのは「大陸の汚職・腐敗を支持する」ためであろう。

昨日、香港の英字紙「サウスチャイナ・モーニング・ポスト」は読者に対し、「香港立法会は四川地震の被災者を援助するため、一億香港ドルの支出を認可すべきかどうか」との民意調査を提起した。今日正午現在の大まかな統計では、支出に賛成が一%、義援金の乱用防止という条件付きの賛成が七%で、支出反対が九一%に達した。

香港の各ニュースサイト（「蘋果日報」のサイトを含む）に掲載されるメッセージは、これまで一貫して市民の反応を示す寒暖計である。雅安地震のニュースが伝わるや、連日来の報道、評論メッセージはすべて、各種の理由から「寄付しない」だった。寄付すると表明した芸能人に対し、ネットユーザーの多くは、彼らの寄付の動機が人道的な思いやりにあるのではなく、大陸市場への考慮にもとづくものではないかと疑った。

「一銭も出さない」の広がりはすでに大衆運動へと変化し、義援金支出に反対するため政務長官や立法会議員に宛てて「一人一通手紙を出す」運動は、街頭での抗議を準備しつつある。義援金支出反対は、政府に反対し建制派に反対する燎原の火を醸成する可能性が大きい。それゆえ、義援金を支持することは市民を敵とするものであり、被災者を含む大陸同胞をも敵とするものである。

ニュースサイトの掲示板には「血は水よりも濃い」とか「一方に困難があれば各方面で支援する」「独裁政権に反対だからといって、苦難のなかにある被災者に反対すべきでない」といったメッセージはほとんど見られなかった。香港人の同情心は失われてはいないが、一党独裁政権に（国を）乗っとられ、操られている民衆の運命に対し、本当のところわれわれは助けようがないし、何もできない。ましてや、このような政権の存在を容認しているのも一種の共業（政府と民衆の共同作業）である状況下では！

五年前の汶川地震のとき、香港人の反応は、現在と比較すると一八〇度違うものだった。そのとき筆者は、天罰を論じる文章を書き、地震は古代、権力者に対する神の警告と見なされ、権力の座にある者は仁政をおこない、民衆を大切にしなければならないと述べた。この文章はネットユーザーや世論から天地を覆い尽くさんばかりの非難を浴びた。彼らの言い分は、筆者が被災者も天罰を受けるべきだと考えているというものだった。大陸の（改革派）学者朱学勤（ジューシュエチン）も同じ日に天罰を提起し、当然のことながら痛烈な非難を受けた。

現在振り返ってみて感じるのは、もし中国が依然として帝王の時代にあると仮定して、帝王が天罰を感じて自責し、「罪己詔」[*7]（みずからの過失を反省する文書）を出していたなら、その結果、汚職腐敗状況も一定程度抑制されたかもしれないということだ。しかし、それからわずか五年後の今日、筆者が天罰を再度提起しても、社会ではおそらくなんの異論も出ないであろう。

この五年のあいだに光景が変わった。血は水よりも濃いとする香港人の感情は水のごとく薄くなった。中国のことはわれわれとは関係ないというふうに変わった。一部の人は、（被災者支援のため）北京市が五〇〇〇万元しか出さないというのに、香港はなぜ一億香港ドル出すのかと言っているが、さらに多くの人は「一銭も出さない」と言っている。

さらに奇妙なのは、香港の義援金拠出反対はたんに大陸の人たちの感情を傷つけなかっただけでなく、逆に大陸のネットユーザーの支持を得たことだ。彼らは、香港人のやり方を完全に理解する、より多く寄付すればするほど汚職も多くなる、なぜなら義援金は被災者に手渡されることがなく、自分の快楽のために人民を害する政府や汚職官僚に寄付することになるからだ、と指摘している。

中国と香港の矛盾が引きつづきヒートアップしている下で、五年間で香港市民の感情が大きく転換したことは今回の地震で注目に値する動向である。

（二〇一三年四月二四日）

「回帰」を悲しむ声のなかで歓呼の声を上げる

ネット上では、一部の人は中国大陸の国慶節「一〇月一日」を国殤日（国民哀悼の日。メモリアルデー）と呼んでいる。なぜなら中共の執政以降、中共みずからの計算にもとづけば、数千万人が非自然死しており、国民哀悼の日と呼ぶのは必ずしも行き過ぎではない。

二〇〇三年の五〇万人大行進から始まって、香港の祖国回帰記念日である「七一」も徐々に「港殤日」（香港市民哀悼の日）に替わっていった。毎年この日に、香港市民が大行進をおこなうが、回帰を喜ぶのではなく悲しむためである。同デモ行進では、特区政府に対する種々の不満やアピールを表明する以外に、近年では英国の統治時代を懐かしむ龍獅旗が大量に出現している。龍獅旗を掲げることは過去を追想するとともに回帰に対する哀悼でもある。

往年の「七一」は、特区政府が午前中、旗（中華人民共和国の国旗と香港特別行政区の区旗）を掲揚し、レセプションを開き、左派の社会団体（いわゆる愛国団体）も午前中に回帰を祝ってパレードをおこなう。午後になると、怒りや不満、悲哀に満ちた行進が始まる。二〇一三年、左派は回帰祝賀活動を午後に改め、一八区および香港島の添馬艦（タマール広場）でフェスティバルをおこなうとともに、一〇〇〇軒近い商店などを動員して、当日の午後二時から五時のあいだ、すなわち行進の時間中に半額以下の優待価格で商品を販売する「客集め」作戦を決定した。

「客集め」ができるのだろうか。祝賀委員会の鄭耀棠(チュンユートン)主席によると、さまざまな活動に参加する人はそれぞれさまざまな理念をもっていると語り、各業界に商品値下げを要求した工商連合会の李鋈麟(アラン・リー・ユルン)会長は、行進参加者がもっとも多いときであっても五〇万人にすぎないが、優待価格があるゆえに六五〇万の香港人が喜んで(回帰を祝って)消費するだろうと豪語した。行進に参加しない市民はみな喜んで回帰を祝うとするのは、国民教育反対に参加しない市民はみな国民教育を支持していると呉克倹(教育局局長)が述べたのと同じロジックで、まったく根拠がない。

鄭、李の二人は明らかにデモ行進する市民を、彼らの回帰祝賀活動や当日商品値下げをおこなう商店の顧客対象から排除している。言い換えると、彼らの強調する意義は「客集め」にあるのではなく、あなたたちが哀しみを感じているとき、晴れやかにお祝いをすることで、それは他人が葬式をしているときに、葬儀の場所で酒を飲んで祝い、歓呼の声を上げるようなものである。

三〇年前の香港を振り返ると、当時の香港はアジアの四匹の龍のなかでトップの地位にあり、香港に居住する人は本地人(土着の人間)であろうとなかろうと、みな法律上の権利をもち、香港における清廉、高い効率、低い税金、便利さ、いかなる事をおこなうにもルールを守る規律性を享受した。そこは高度の現代化された文明を備える場所であった。われわれは香港人として、両岸（中国大陸と台湾）の中国人の前では言うまでもなく、世界のどの地域の人の前でも香港を光栄ある存在と誇りに感じた。しかし今日、香港人のプライドはもはや消え去ってしまった。

ペテン師長官は米国でインタビューを受け、スノーデン[*8]の件を質問されたさい、彼は七回も「個別の事件は論評しない」と答え、香港人に恥ずかしい思いをさせた。彼の受け答えは、いわゆる港人治港の「顔」が香港特区政府のトップとして応対の仕方を理解していないだけでなく、問題に直面する勇気をもっていないことを暴露した。彼は少なくとも、以前ロンドンを訪問した前任者の曽蔭権が、もし米国が香港に（犯罪者）引き渡しを要求するなら、香港は法にもとづき処理すると述べたように答えるべきであったし、たとえゼロ回答であっても、「論評しない」を繰り返して相手に能無しの印象を与えるよりましであっただろう。

われわれが目にするのは、香港がかつて誇りにした廉政公署に、自分の任期中に大陸の幹部を接待し贈り物をしたことについて、まるで二日酔いでもしたかのようにカメラの前でぐちゃぐちゃと言い訳をした湯顕明（前専門委員）のような人間が出たことである。またわれわれは、陳茂波（前財務長官）が下宿部屋を違法に経営したり、林奮強（行政会議メンバー）が不動産価格抑制措置の前にこっそりとビルを売却したり、張震遠（バリー・チュン・チュンユエン。行政会議非官僚メンバー）が多額の借金問題で調査を受けたことも見てきた。[*9]

行政会議メンバーのどこに尊敬する値打ちがあるというのか。誰か〝さまになる〟人間がいるのだろうか。香港空港管理局では相次いでスキャンダルが暴露され、唐英年（前政務長官）の持ち家違法建築に対する処理や梁振英の自宅違法建築問題では、屋宇署が非常に寛大な措置をとった。公務員が自分たちの報酬引き上げ問題であれこれと交渉しているのを責めることはできない。なぜなら彼らはお金以外に、このような政府の指導下で働くことに何の意義も尊厳も感じず、犠牲を払う値打ちも感じていないからだ。

香港はこの一六年間、政治・経済・社会の各方面で大陸の侵蝕を受け、生活空間は押しよせるイナゴ（の大群）に圧迫されてきた。大陸の観光客は台湾を含む他の地域で減りつつあるが、香港における自由行はほしいままの振る舞いで、地元香港の旅行社は外来の客（大陸の観光客を指す）にいじめられている。

さらに大ぼら吹きの特区トップについて言うと、彼はさまざまな場所で香港人を思いやり、面倒を見ると述べているが、さまざまな政策はすべて大陸に傾斜しており、いわゆる「港人港地」政策も、土地（使用権）の競売で超高値の応札をするのは中国企業である。もともと港人港地は（香港の永久住民に土地を売却する目的で始まったことから）香港資本を後ずさりさせるものだったが、結果的にコストを計算しない国営企業に商機を独占させることになった。将来、建設されたビルの販売価格は大多数の香港人がとても買えないような超高値になることだろう。

大多数の香港人は現状に対しこれ以上辛抱しきれなくなっており、プライドの消失は自主意識の持続的な上昇を刺激し、「七一」におこなう回帰を悲しむ街頭行進は、自主を勝ちとるための広範な（市民の）動員である。回帰を悲しむことに向こうを張って回帰を祝う香港各界祝典委員会の主席団に並ぶのは、準備委員会名誉主席の唐英年以外はすべていわゆる愛国社会団体であり、建制派のトップ級の人物はほとんど誰一人見当たらなかった。祝典での歌唱に参加した一部の芸人や優待価格商品を提供した商店に対し、多くのネットユーザーのメッセージには、今後（何かの機会に）彼らを呼び寄せるため、彼らの名前をしっかりと記憶しておこうと書かれていた。

（二〇一三年六月一九日）

香港の未来はすべて若い人にかかっている

二〇一三年の「七一」の前日、香港大学がおこなった民意調査では、香港政府および「一国二制度」に対する香港人の信頼が大きく落ち込み、「一国二制度」に対する信任度の純粋値（信任率から不信任率を差し引いた数値）はゼロにまで下落した。これは回帰後初めて出現した非プラス値である。梁振英は調査結果について問われると、「私は、一国二制度の実行状況は空疎な評価によるべきではなく、必ずや基本法の実行状況を見なければならないと思う」「もしも一部の人が一国二制度の香港での実行に問題があると考えるなら、基本法に関する宣伝をより多くおこなうべきである」と述べた。

「もしも一部の人が一国二制度の香港での実行に問題があると考えるなら」、梁は香港の最高権力者として彼自身が反省するとか、問題がどこにあるのかを探すべきなのに、そうはせず、「基本法に関する宣伝をより多くおこなうべきである」と答えたのだ。このことは、一個人あるいは一つの政府が永遠に進歩しない根本原因である。

中国共産党は銃とペンに依拠して天下をとったと自称している。ペンとはすなわち宣伝であり、今日にいたるも中共はその伝統を継承し、依然として宣伝によって人民の支持を獲得できると考えている。しかし過去六四年の見劣りのする行跡の結果、中共のすべての宣伝はみな破産し、現在、大陸の民衆も中共の宣伝が多いことに対し、逆にそこに含まれる意味を理解している。つまり、中共の宣伝が生み出すものはすべて（期待とは裏腹に）逆効果に働いているということである。

梁をトップとするチームが特区政府の権力を握ったあと、香港では徐々に中共の宣伝シーンが見られるようになったが、（その効果は期待とは逆で）あなた（梁）が言えば言うほど私（香港市民）は信用しなくなった。

梁は「一国二制度」は「空疎な評価によるべきではなく、必ずや基本法の実行状況を見なければならない」と述べたが、それは真実である。過去において誰が空疎な評価をおこなったのか。たとえば昨年、胡錦濤（国家主席）が新特区政府の発足を祝う式典で次のようにあいさつした。

「一五年来、……香港同胞は一家の主人となった……香港住民が享有する民主的権利と自由は、歴史上のいかなるときよりもさらに広範なものとなった」「国家と民族に対する香港同胞のアイデンティティと感情は日増しに強くなっている」

これこそ明々白々の「空疎な評価」である。胡のあいさつを聴いた人は、彼はいったい皮肉を述べているのか、みずからを慰めているのか、あるいはブラックユーモアなのか、と疑うことだろう。

過去一〇年あまり、「基本法に関する宣伝をより多くおこなってきた」が、その対象者は中央や特区政府の「基本法」実行に批判的な態度をとった政治家や（メディアで）政治を論じた人たち（学者、評論家、ジャーナリスト）である。筆者もその一人で、毎週評論を書くとき、ほとんどそのつど「基本法」をとり出して香港の現実と対照した。近年、民主運動や社会運動に出現した本土派が自治と自主を提起しているが、依拠するのは常に「基本法」である。なぜなのか。それはまさに中央と特区政府が往々にして「基本法」に背いて事を運んでいるからである。

香港大学の民意調査によると、「一国二制度」に対する市民の信任度の純粋値がゼロまで落ち込んだ以外に、特区政府と中央政府に対する信任度も平均値で一二ポイント下がった。その内訳を見ると、特区政府に対する信任度の純粋値はマイナス五%、中央政府に対する信任度の純粋値はマイナス二〇%だった。

市民の特区政府と中央政府に対する信任度および一国二制度に対する信頼の低下を見れば、誰もが現在の香港社会の主要矛盾がどこにあるかを知るであろう。それは中央政府と特区の奴僕政府が、政治・経済・社会の各方面で「基本法」に違反することによってもたらされる中港矛盾ではないのか。矛盾を解決するカギはどこにあるのか。

われわれは、もっとも良い解決方法は、中央が「基本法」にもとづいて干渉しない程合いを守り、特区政府が「基本法」の一定の権限授与にもとづいて香港人の核心的価値と利益を自主的に擁護することだと考える。だが、われわれの期待はすべて裏切られた。たんにそれだけではなく、長年にわたり中央の干渉の手がますます長く伸び、特区政府の奴隷根性もますますひどくなっている。

近年、香港市民は香港の過去の好景気が再びやってくることはないと感じる一方、政治空間や生活空間も中共勢力や大陸の観光客によってますます圧迫され、身の置きどころがなくなったと感じている。こうした状況下で、中港の矛盾は香港社会の主要な矛盾となり、香港人がいくら懇願しても受け入れてもらえないことから、自主意識が台頭し、イナゴ論がわき上がり、本土派が若い世代の主流となった。

香港大学の民意調査は、今回の調査数値を深く分析している。それによれば三つの年齢層別に見ると、以下のいくつかの発見があった。第一に、一八〜二九歳の層は二つの政府に対する信任度がもっとも低く、特区政府に対する信任度は一八%、中央政府に対する信任度はわずか一三%で、二つの政府に対する不信任度は三つの年齢層のなかでもっとも高かった。第二に、五〇歳以上の層と三〇〜四九歳の層は、二つの政府に対する信任度が「半々だ」と答えた人がもっとも多かった。

あるネットユーザーのメッセージは、これは若い人が自分の生きているあいだに中共の暴政（人民を苦しめる暴虐な政治）の恐怖のなかで生活したくないからで、年長者はすでに完全に闘志を失っていると述べた。香港の未来は完全に若い人にかかっているのだ！

年長の民主派は「すでに完全に闘志を失ってしまった」のか。彼らのかつての妥協は、彼らが闘志をもっていないことを意味しているのか。筆者は、そうではないことを希望しているし、信じている。だが、未来は若い人のものであり、香港の未来を勝ちとる重大な任務も必ずや若い人に依拠しなければならない。

「港人自決、藍色起義」[*10]スポークスマンの陳梓進（ダニー・チャン）は、若者が英植民地時代の香港の旗（龍獅旗）を振りかざし、中国国籍を離脱すると公言していることについて、「北京の役人はその原因を理解しようと試みたことがなく、香港の若者が何か事を起こせば、彼らを一握りの離経叛道（本道から外れた裏切者）扱いするだけだ」と述べている。そうであれば、若い人は中央政府と特区政府をますます信頼しなくなり、ますます疎遠になっていくであろう。筆者は、年長の民主派に対してもこのような意見が適用されるものと信じたい。

（二〇一三年六月二二日）

「保釣民族主義」にだまされてはいけない

二〇一二年、香港の保釣（釣魚島――日本名・尖閣諸島――の領有権を主張する）人士が釣魚島に上陸したとき、一人の女性が「蘋果日報」サイトの一面伝言板に次のようなメッセージを載せた。

「私は香港人であり、ただ香港を愛し、香港の土地のみに関心を抱いている。香港の土地がまもなく略奪され（新界東北の新開発計画を指す）、香港の次の世代が洗脳されようとしている……われわれ香港人という身分の存在さえもが容認されなくなろうとしているとき……これらの保釣団体に尋ねたい。香港が危急存亡のとき、なぜ中国の打飛機（男のみずからなぐさめる行為、自家発電）を手助けするのか、なぜ香港を代表して醜態をさらすのか。なぜファシスト政権の旗印を掲げるのか」

これは一個人の見方ではなく、これに似た見解は、保釣ニュースに関するあらゆる報道や評論のなかで、サイトのメッセージでももっとも多く見られる。それは、保釣人士の勇気は称賛すべきだが、こうした行動が香港の現在の状況下ではたんに時宜に合わないだけでなく、権利擁護のために奮闘している社会運動を傷つける作用を果たしていることを物語っている。

筆者がもしも、自分はもっとも古い資格をもつ保釣人士だと称しても、事情を知る人は誰もこれに異を唱えないであろう。一九七〇年、筆者が編集長を務める月刊誌「七十年代」は、真っ先に在米台湾留学生の保釣運動に呼応した。今日にいたっても、筆者はなお四〇年前の保釣運動の意義を肯定している。なぜなら当時、米国が沖縄を釣魚台（中華民国台湾における尖閣諸島の呼称）と一緒に日本に返還する前、（領有権を）争うことができたからだ。そしてその争いは、米国が沖縄を日本に返還するが主権争いのある島嶼に対しては（特定の）立場をとらないと発表するまで続いた。この運動は海外の留学生や香港の大学・専門学校生を目覚めさせ、台湾の民主化運動や香港人の自主意識を間接的に推進した。

だが、現在の情勢は以前とは大いに異なる。釣魚台はすでに日本の実質的な管理統治下にあり、島嶼を回収しようとすれば（武力による奪還でなければ）政府間の交渉を通じて解決するしかない。台湾はすでに民主化を実現した。大陸は中共の権力がますます絶対化しつつあり、こうした状況下では、民主主義は大陸民衆の権利擁護に依拠して推進する必要がある。

香港について言うと、回帰から一五年、われわれが直面しているのは全体主義の魔手という、この民主主義の大敵である。勅命で指定された疑似（共産）党員の特区トップ就任、種票（選挙にさいし、他人の住所を利用し、他人に成りすまして選挙民登録をすること）などにより、本来は公平であるはずの選挙への介入……。最近の「西環治港」[11]と「国民教育運動」はさらに人心を刺激した。これらのすべては、みな愛国主義で包装（ラッピング）し、近くおこなわれる立法会選挙でも、「愛国」政治団体と香港の核心的価値を擁護する政治団体との対決となろう。

「一国」の圧力の下、香港の「二制度」の自主意識が近年台頭し、「都市自治論」が出現し、「七一」の行進では龍獅旗がとくにまばゆく映り、香港市民が（中国大陸の偉業とされる）有人宇宙船「神舟9号」の打ち上げ成功や北京五輪開催に対して抱いた四年前の熱情は遠く過ぎ去ったものとなった。

「一国」の強大な圧力に直面し、香港人が自主意識をもってこれに対抗するという重要な時期に、保釣団体の船が出航した。香港政府が保釣船の出航を許可したのは偶然のことだろうか。梁振英は前任者よりも開明的なのだろうか。中国の口先だけの支持と実際の行動をともなわない〝強硬な反応〟が転換したのだろうか。梁が今回の保釣行動に迅速な関心を示したのは加点に値するだろうか。

それは大きな誤解である。すべては、米日が同盟を強化し、香港が選挙に直面するという二大情勢の下、共産党と特区政府が民族主義をもって香港人の自主意識を抑え込もうとする謀略である。保釣行動は計算されて出現したものであり、かりにそれが香港の自主的な権利擁護の目覚めを沈黙させることができないとしても、少なくともそれをクールダウンさせることはできると読んだのだ。

一部の人は、保釣行動はわれわれが党ではなく国を愛していることを顕示するものであり、中共が真の愛国ではなく、われわれこそ真の愛国であることを反映していると言うかもしれない。だが実際には、われわれの国はとっくに中国共産党に強奪されている。自己の目的のために人民に危害を加える国家に対し、旗を振り、国歌を歌うことは、人民が政治に参加する権利をもつ国への愛の表現ではなく、独裁政権への愛を表明するにすぎない。党が国家を拉致し、愛国が民族主義を拉致し、民族主義が保釣を拉致した。アインシュタインは「はしかのように、民族主義は小児病である」と述べている。香港の保釣人士と多くの市民は今まさに、はしかにかかっている。

『生まれ変わったら中国人にならない』の作者鍾祖康[*12]（ジョー・チュン）は一昨日、自分のブログに以下のようなことを書いた。

「いかなる全体主義国家であれ、その国の統治する人民と領土は少なければ少ないほどよい。たとえその規模を縮小できなくとも、その規模の拡大を停止させるため最低限の力を尽くすべきである。そうすれば全体主義国家が人類の文明に与える損害も最小にとどめることができよう。この道理にもとづけば、釣魚台（尖閣諸島）の持ち主として、中国と日本のどちらか一国を選ばざるをえないとしたら、私は中国よりも自由と民主がはるかに多い日本に釣魚台を帰属させるべきだと主張したい」

保釣の熱が冷めやらぬなか、このような言い方が「漢奸（中国の裏切り者）の言論」とレッテルを張られる恐れがある。筆者は二〇年あまり前、香港の将来をめぐる中英交渉の期間中、返還に反対した香港人が、「民族主義の罪科（つみとが）」があるとレッテルを張られたことを想い出す。当時一人の学者が、文革時に多くの苦難を乗り越え香港に密入境を図った過去を振り返り、歩き疲れて香港側にたどり着く力がないほど疲労困憊したとき、「なぜ清朝政府はもっと腐敗を減らし、英国にもっと多くの土地を割譲しなかったのか。そうしていれば私はもっと早く香港にたどり着けたのに……」と思ったという。

彼は、当時香港人が返還に反対していることについて聞かれると、次のように答えた。

「もし過去三十数年間、中国が香港よりもうまくやっていたら、香港には中国の回収に反対する中国人はいなかったであろう。もし香港の民衆が今日、回帰を受け入れがたいと思っているのなら、彼らは民族主義の罪科を感じるべきではない。逆に中共の指導者こそ民族主義の罪科を感じるべきである」

まさに名言である。鍾祖康は漢奸ではないし、彼の言い方を支持する人も民族の罪人ではない。真の漢奸と民族の罪人は、中国をこのような有様にし、庶民を災難からの脱走へと駆り立てる中国の独裁統治者であり、香港人もその魔の手がたえず香港に伸びてくるのを恐れている。

フランスの哲学者ルソーは、「もしもわれわれが、わが文明全体が滅亡に向かうのを見たくないのなら、偉大かつ困難な責任がわれわれを待っている。それはすなわち、われわれの精神を守り、愛国主義の侵入を避けることである」と述べた。

今回の保釣行動とその教訓は、香港人に以下のような面で目覚めるよう促した。すなわち香港人は民族主義に陥らず、民族主義に拉致されてはいけない。香港がすでにもっている文明とわれわれの精神を自覚して守り、自主と権利擁護をもって愛国主義の侵入に対抗しなければならないと。

（二〇一三年八月二八日）

訳注

1 邦聯とは、二つあるいはそれ以上の主権国家が特定の目的のために条約にもとづいて構成する国家連合体。邦聯は一般的に、各メンバー国代表によって構成される邦聯会議が責任をもって同メンバーが抱える問題の協調解決に当たる。だが統一した中央の立法、司法、行政機関をもたず、統一した軍隊や財政予算をもたず、邦聯メンバー国の国民はもともともっている各々の国籍はあるが、邦聯の統一した国籍をもたない。

2 出典は、東晋時代の偉大な文学者、陶淵明の代表作の一つ『桃花源記』に出てくる「自云：先世避秦時亂、率妻子邑人來此絶境、不復出焉」（みずから云ふ：先の世、秦時に亂を避れ、妻子邑人を率ゐて此の絶境に來たりて、復たとは焉を出ず）の一節。避秦は天下大乱のような災難を避けるという意味。

3 原文は地産覇権。貧富の格差拡大など香港社会の深刻な矛盾を読み解くうえで最大のキーワード。香港の地価は目が飛び出るほど高く、二〇一八年の米国のデータによると、「世界でもっとも住宅市場が高い都市」は香港で（八年連続）、税引き前世帯収入（中央値）の一九・四倍であることがわかった。香港では土地は原則的に公有で、土地の使用権を競売に付す。だが落札するには莫大な資金が必要で、結果的に不動産開発は大手不動産会社（財閥）任せとなる。「応札可能な家族（＝業者）は李嘉誠、クオック兄弟、李兆基、鄭裕彤、包玉剛（Y・K・パオ）・呉光正（ピーター・ウー）、カドリー（ユダヤ系）の六大家族に加え、その周辺で関連ビジネスを展開する新旧二〇家族ほど——総計で三〇前後の資産家族に限定されてしまう」（樋泉克夫・愛知県立大学名誉教授「検証！香港を支配するもう一つの正体」）という。

開発された不動産は業界カルテルによって高騰が続き、不動産覇権が香港人の生活を囲い込んでいる。香港最大の財閥、李嘉誠を例にとると、「彼の長江実業グループはその傘下に不動産開発や販売だけではなく、物流、電力、メディア、小売り、通信、ネットビジネスなどを収め、さらに最近ではバイオテクノロジー産業にも進出しており、香港の至る所にその陰がおよぶ」（ふるまいよしこ「現代中国流行語事典」より）

香港では家（殻）がない人を指して「無殻族」と呼ぶ。公共住宅の不足や民間住宅の高騰で家を買えない人が増えつづけており、若者の不満や、将来に対する絶望感を生む原因ともなっている。不動産覇権の裏には、政府と大手不動産会社の癒着があるとされるが、そのあたりを実体験にもとづいて描いた本『Land and the Ruling Class in Hong Kong』（潘慧嫻〔アリス・プーン・ワイハン〕著。二〇一〇年、中国語訳が『地産覇権』という題名で出版）が話題となった。

4　本名は曹捷（ツァオジツ）。「香江第一の才子」とも呼ばれる。香港生まれ。英国に一六年間居住した経験をもつ。中国語の作家であり、評論家。複数の新聞にコラムをもち、テレビやラジオでも司会、知識人タレントとして活躍している。ユーモアの形式で香港政府や中国政府、中国文化の陋習を批判する一方、米国、欧州、日本をほめる傾向がある。

5　中華人民共和国における赤十字組織。二〇一五年五月現在、国家副主席の李源潮（リーコアンチャオ）を名誉会長、陳竺（チエンジュ）を会長とし、総会（本部）を北京、分会を三一の省級行政単位と香港・マカオ特別行政区に設置する。ほとんどの下級行政単位にも支部が設置され、基層組織は約七万、会員約二〇〇〇万人に達する。中国は一九九三年、中華人民共和国紅十字会法を公布して法的な整備をおこない、九七年にはそれまで英国赤十字に属していた香港赤十字が中国紅十字会に加盟した。

6　本名は郭美玲。二〇一一年六月二〇日、〈新浪微博〉（中国版ツイッター）で「郭美美Baby」というブロガー名で登場。弱冠二〇歳ながら豪華な別荘と高級車マセラティをもっている超セレブ生活ぶりを見せびらかし、話題となった。ネット上では「中国紅十字会の身分に反して、こんな贅沢を……！」「私たちの寄付金はどこに行ったのか？」などと疑問と非難の声が渦巻いた。中国紅十字会側は、紅十字会に商業総経理という職位はない、郭副会長に娘はいないなどと声明を発表し、「郭美美Baby」との関係を全面否定した。八月に入り、郭美玲は賭博と性取引などの罪で北京公安当局に身柄拘束され、中央電視台（CCTV）に異例の〝出演〟をして謝罪したが、ネットユーザーの疑問は消えていない。

7　罪己詔は、古代の帝王が朝廷で問題が起きたり、国家が天災に遭ったり、あるいは政権が危機に陥ったとき、みずからの過失を反省して出す文書や口頭での指示を指す。それは通常、三つの状況下で出される。第一は君主と臣下の地位が転位したとき、第二は天災が大きな災難をもたらしたとき、第三は政権が危難に直面したときで、その意図は、事のいきさつの軽重はあるが、いずれも自分で自分を責めとがめることである。

8　エドワード・ジョセフ・スノーデン。米国国家安全保障局（NSA）および中央情報局（CIA）の元局員。NSAで請負仕事をしていた米コンサルタント会社「ブーズ・アレン・ハミルトン」のシステム分析官として、米連邦政府による情報収集活動に関わった。二〇一三年六月、香港で複数の新聞社（「ガーディアン」「ワシントン・ポスト」および「サウスチャイナ・モーニング・ポスト」）の取材やインタビューを受け、これらのメディアを通じてNSAによる国際的監視網を告発したことで知られる。

9　前香港商品交易所董事会主席。二〇一三年五月二〇日、同交易所の大株主でもある張震遠が詹培忠・前立法会議員（金融界出身）に、以前八〇〇万香港ドルを借りたものの返済していないことを認め、二四日行政会議メンバーを含むすべての公職を辞任すると表明した。張は在任中、多額の借金問題のほか、従業員に対する賃金未払いや交易所の不透明な財政支出があったとして批判を浴びた。

10　「港人自決、藍色起義」（英語名：Hong Kong Blue Righteous Revolt）は、二〇一三年四月に設立された本土派の組織。同年の「七一」行進中、メンバーの鍾健平（マックス・チュン）、陳梓進らが不法に集まり警察の予防線を突破したとして、非合法集合罪で起訴され有罪（社会奉仕に服す）、一七年高等法院で刑が確定した。一九年七月、鍾はマスメディアのインタビューで、組織はもはや存在せず香港独立も支持しないと述べた。

11　西環（英語名：Sai Wan）は別名西区とも呼ばれ、香港島北西部に位置する観光エリア。中央政府駐香港特別行政区連絡弁公室（中連弁）が二〇〇一年、西環区内に隣接する西区警察署の西港センターに移転したことから、多くのメディアや市民は「西環」を中連弁の代名詞として使う。非建制派とその支持者は、中央政府あるいは中連弁が基本法の「一国二制度」の規定に違反して香港の内部の事柄に干渉していることを批判するさい、「西環治港」という言い方をする。

12　香港生まれの政治評論家。台湾の独立建国を支援する文章を香港で初めて発表したことで、中共からその過激かつ扇動的言論が「基本法」二三条違反だと批判され、二〇〇三年、妻の出身国であるノルウェーに移住。〇七年香港で出版した『生まれ変わったら中国人にならない』は大きな反響を呼び、これまで五七回版を重ねた。同書は香港の月刊誌「開放」に連載した文章をまとめたもので、中国共産党の人類に対する災い、環境に対する破壊、「支那」人の陋習、文化、人倫道徳、政治などを批判的に分析しており、中国では「禁書」となっている。中国のポータルサイト大手〈網易〉傘下の網易文化が二〇〇六年、「もし生まれ変わったら、再び中国人になりたいと思うか？」との調査をおこなったところ、一万一二七一人の投票者中、六五％が再び中国人になりたくないと回答したとされる。

10 いかにして混迷から抜け出すか

民主主義を「恩賜されること」を期待してはいけない

世界の圧倒的多数の地区から言うと、政治とは通常本地（ホームランド）の政治に限定され、一般人民は他の地区の政治にほとんど関心をもたない。民主主義も通常、本土（当該地区）の民主主義を指し、本地人は他の地区の民主主義の発展に関心をもつことはきわめて少なく、他の地区の民主化運動に介入する能力も欠いている。

香港は比較的特殊で、英国の統治時代、政治を司る者はただ管理を重視するだけで、政治を論じなかった。英植民地主義者は香港人に英国を愛せよと強いることはなかったし、英国の制度も宣伝しなかった。国共内戦の影響を受け、難民から構成される戦後の香港社会では、メディア、学術界、市民が議論する政治とは中国政治、すなわち共産党か国民党か、左か右かの政治だった。社会では香港本土の政治を議論することはきわめて少なく、英統治時代には香港本土の政治がまるで存在しないかのようだった。

多くの香港人は非常に長い期間、香港をたんなる臨時の居住地とするだけで、香港に対する帰属感は、一九六七年の左派暴動のあとにようやくスタートした。そのころ香港経済は離陸し、社会全体が現代文明に向かって躍進を始めた。香港の将来問題をめぐる中英交渉は社会に衝撃を与え、それは主として災難から逃げたいとする移民ブームの形で現れた。大部分の市民は仕方なく形勢をうかがい、わずかに一部の人が民主的回帰の意識を抱いた。

香港人の政治とはすなわち中国政治だったがゆえに、民主回帰派も中共が一国二制度の下で香港人に「民主治港」(民主的なやり方で香港を統治すること)を期待した。香港人が八九年の「六・四」記念活動に二四年間身を投じつづけてきたのも、中国の民主化推進が香港に民主主義(民主化)をもたらすことを期待したからである。だが中国の政治改革は、希望の灯がともったものの消え去ってしまった。今日、中国はすでに構造的な特権政治の枠組みを形成し、予見できる将来、中国が民主化する希望はなくなった。

近年、中共による香港の政治・経済・社会に対する侵蝕の結果、香港本土派が台頭した。そして泛民主派も中共に痛く失望し、セントラル占拠(占中)への参加を表明するようになった。占中はその表現形式から言うと、本土派の抗議運動の範疇に属する。泛民主派は占中の方向へ歩みだすことを願っているとしても、二度と中共にだまされてはいけない。

占中からスタートして、民主化を勝ちとる香港の政治は、中国政治から脱却できるのか。民主派はここから「民主中国を建設する」との思考方式から脱却して、真に本土に立脚できるのだろうか。毛沢東は一九二〇年、長沙で「湖南自治運動」に従事し、多くの小中国を湖南省から建設することを提案した。彼は、全国を統治する軍閥政権に対し、民主主義を湖南に恩賜するように要求しなかった。烏坎（ウーカン）村の村民は二〇一一年、民主的な普通選挙を勝ちとったが[*1]、それもただ、烏坎村の本土民主化を勝ちとっただけで、全国の民主化を要求しなかった。

二〇世紀の七〇年代、筆者は台湾の党外人士（当時、民主化を勝ちとるために奮闘していた非国民人士を指す）とかなり多く接触した。彼らのなかには大陸との統一を主張し、甚だしい場合は、社会主義の傾向をもつ「統一派」もいれば、本土（台湾）意識の非常に強い本土派もいた。「台湾独立」（台独）は台湾では非合法であることから、台独を主張する人たちは多くが（〝本土派〟として）隠れて活動していた。

統一派は、もともと中共が台湾の民主化を支持すると考えていたが、あとになって中共の本質を発見し、統一派の多くは中共の支援を求めるとの幻想を捨て、台湾本土に立脚する民主化闘争へと立場を転換した。街頭（デモ）、議会（での論戦）、監獄（でのハンスト）、焼身自殺などの闘争を経て、最終的に蔣経国（総統）による戒厳令解除の発表や、報禁（新規新聞発行の禁止）および党禁（新規政党結成の禁止）の開放、台湾人の大陸への親族訪問旅行の開放を勝ちとった。

大陸社会、とりわけその政治体制を（深く）認識したあと、台湾の統一派はすでに消滅したと言ってよく、本土意識が台湾社会の主流意識となった。本土意識をもって民主化を勝ちとったからこそ、台湾には今日の民主主義があるのだ。もし当時、「統一派」が民主化を主導していたら、台湾はおそらく今日にいたるもなお、台湾に民主統一をもたらす政治改革を大陸がいつおこなうのか、模様眺めを続けていたであろう。

台湾民主化の主流意識は、これまで一度も一国二制度に賛同したことはなく、台湾独立派も香港による一国二制度の実行に干渉したことはない。なぜなら中共と香港の建制派は、一国二制度が台湾にも推進することができると主張しているが、台湾は一国二制度が台湾となんの関係もないとはなっから考えているからである。

これとは反対に、二〇〇〇年に民進党が政権をとったとき、香港立法会はわざわざ出しゃばって台独反対の議案を採択した。票決では民主派を含む全議員が賛成票を投じたが、ただ一人呉靄儀議員が棄権した。香港立法会が台湾の独立・非独立問題にちょっかいを出したことからも、香港議員の当時の「大中華」意識がどれほど強いものだったかが見てとれよう。

歴史上、民主化を勝ちとる世界のすべての運動は、みな本土に立脚したもので、本土の体制より高い地位にある権力に向かって（民主化を）勝ちとろうとしたものではない。第一に、このような民主化獲得の運動が成功することはありえないし、さらに高い地位の権力が権力を放棄することもありえない。第二に、もしも中国が真に民主化を達成し、全国各省市で民選議会が誕生したとしても、香港住民が大陸と異なる法体系を実行し、香港人が大陸住民のもたない各種の自由と権利をもつのを容認するだろうか。

つまるところ、一国二制度は必ずや一党独裁の全体主義権力の下で強制的に執行しなければならないものであり、党の魔の手の干渉から脱却することはできない。これは香港が中国政治の下に置かれることの宿命である。

一三年前、呉藹儀は台独反対の動議と台湾問題の解決が互いに相入れないことを理由に、唯一の棄権票を投じた。今日、民主化を勝ちとるために奮闘する人たちは、中国の民主化獲得と香港の民主化獲得も互いに相入れないことを考慮すべきである。すべての民主化は本土の民主化である。朝から晩まで、中国が梁振英を更迭すると推測、あるいは期待してはならず、われわれが持続的に、粘り強く梁政府打倒することこそが正しいのだ。中央が香港に民主主義を恩賜すると期待してはならず、われわれが占中を通じて香港人の民主化を求める力を結集することこそ正しいのだ。

全面的な自治、都市国家論、極端な場合は香港独立……。これらはただ言論のレベルであり、何を恐れる必要があろうか。台湾が激烈な台独の主張を公に提起したあと、近年、中共が統一を提起することすらきわめて少なくなった。すべての自主的な言論はみな怖がる必要はなく、直言をしてもかまわないではないか。

（二〇一三年七月六日）

偽りの普通選挙案は「一国二制度」を破壊する

二〇一三年三月、喬暁陽（チアオシャオヤン）（当時、全人代法律委員会主任）は建制派の全議員を招集し、「三つの確固不動」をうたう偽の普通選挙案を提起した。座談会が終わったあと、譚耀宗（タム・リューチュン。立法会議員。民建連主席）がメディアに向けて喬発言の内容を公表、この情報が広く社会に広まった。

「三つの確固不動」の内容とは、①中央政府が二〇一七年普通選挙を実行するとした立場は確固不動である、②行政長官の人選は必ずや愛国愛港人士でなければならないとする立場は確固不動である、③普通選挙の方法は「基本法」と全人代常務委員会の関連規定に符合しなければならないとの立場は確固不動である。

第一の確固不動はなんの意義もない。なぜなら、もしも偽の普通選挙ならば、それは中央が、世間から糾弾されてきた小範囲での選挙に代えて二〇一七年に偽の普通選挙をおこなうことが確固不変である、と言うに等しいからである。

第二の確固不動のカギは、愛国愛港が必ずしも「基本法」の定めたものではないということである。喬暁陽も、愛国愛港の基準であれ、中央に対抗できないとする基準であれ、法律の条文で規定することが難しいことを認めざるをえない。喬は大陸のテレビドラマに出てくる台詞「民衆の心中には竿秤（さおはかり）*2がある」を引用。愛国愛港や中央に抵抗できないことは法律に記載せねばならないものではない、その意義は香港民衆の心中にこのような竿秤を備えつける点にある、と述べた。

このようなやり方は、たんに法治でないだけでなく、中共が宣伝するところの法に依拠して事を運ぶことでもない。なぜなら喬も、愛国愛港には基準がなく、誰が愛国愛港であるか否かは庶民の心中の竿秤によって判断されることを知っているからだ。もしも庶民が楊衢雲、孫文など、腐敗に反対し中央に対抗する人物こそ愛国だと考えたら、どうするのか。喬のやり方は「香港の民衆の心中に（中央に対抗できないとする）このような竿秤を備えつける」ことである。

国務院香港マカオ弁公室主任の王光亜（ワングアンヤー）は会合のあと、鄧小平は愛国愛港のために加持（密教における、仏が人の心に加えた慈悲を感得するための作法）をおこなったことをまたももち出し、鄧がかつて「愛国愛港」を主体とする人が香港を統治する必要があると表明した、と述べた。彼の引用は（鄧の言葉を）網羅的に言い尽くしたものでもないし、不誠実である。鄧は一九八四年、鍾士元（チュンシュエン）（当時、行政評議会首席非官守議員）らと会談したさい次のように述べた。「未来の香港政府の主たるメンバーは愛国者でなければならず、もちろん別の人も受け入れねばならない。……愛国者とは何か。愛国者の基準はみずからの民族を尊重し、祖国の香港回収、香港に対する主権行使を誠心誠意擁護し、香港の繁栄と安定を損なわないことである。こうした条件を備えさえすれば、みな愛国者である」

鄧のこの基準にもとづけば、泛民主派はすべて愛国者である。鄧はさらに「われわれは、彼らがみな中国の社会主義制度に賛成するよう要求しない」と述べている。ここで指すのはもちろん、たんに経済制度だけではなく、（なぜなら中共はすでに、香港が資本主義制度を実行することを明確に表明しているからである）中国の政治体制（も含めて）である。

過去の指導者の話を用いて「基本法」の根本に代替させることは法治ではなく人治である。だが、たとえ鄧小平の元の言葉にもとづいたとしても、中共現政権が中央に対抗しないことを愛国愛港の基準とする提案をおこなったのは、鄧の元の言葉に合致しない。なぜならば、かりにすべて中央の指示を聞いて事を運ぶならば、一国二制度、港人治港は名存実亡（名前としては存在しているが、実体が失われていること）になってしまうからである。

第三の確固不動は、普通選挙の方法は「基本法」と全人代常務委員会の規定に照らしておこなわねばならないとするものである。「基本法」の規定は「広範な代表制をもつ指名委員会が、民主的手続きにもとづき指名したあと普通選挙が生まれる」としている。

ここでいくつかの争点が出てくる。

第一に指名委員会の構成だが、喬暁陽は、指名委員会が「基本法」付帯条件の一（選挙委員会に関する現行規定）を参照に構成されると述べている。選挙委員会はわずか二〇〇万人あまりの市民が選んだ各界委員と、これに人民代表大会委員、政治協商会議委員、立法会議員を加えて構成されており、絶対に七〇〇万人（香港市民）を代表できるものではない。さらにそれは中央がコントロールできる組織であり、今回の特区トップ（行政長官）の選挙結果を見れば、香港大学民意調査研究所が反映したところの市民の願望にいかに背くものであるかは証明できる。

第二に、喬は、現時点で選挙委員会が行政長官候補者を指名するときは、①一五〇人以上の選挙委員が共同で指名するか、委員個人が指名する、②指名委員会の指名は「民主的手続き」をもって「機構全体」の指名とする、と述べている。それだからこそ、彼は指名委員会によっておこなう予備選挙が必要であることを暗示している。

喬のデザインによれば、現在のような選挙委員会に指名委員会を構成させ、そのあと指名委員会のなかで予備選挙をおこない、数人の候補者を選挙民全体の投票にかけるというもので、選挙民はただ指名委員会で誕生したリストのなかで、引きつづきオオカミかあるいはブタの選択をおこない、泛民主派人士は投票という電車に乗るどころか、改札のなかに入る機会さえなくなってしまう。このような偽の普通選挙は小範囲の選挙にもおよばないと言えよう。

したがって喬は、特区政府が適当な時期に政治改革の諮問を提出するのは適切であり、時間的にも完全に間に合うと考えている。なぜなら、中央はすでに偽の普通選挙の規則をすべて制定済みだからだ。ペテン師長官が提出する諮問案が、喬旦那の定めた規則から逸脱することがあるだろうか。

二三年前を振り返ると、喬の前任者で当時全人代法律委員会主任の項淳一(シアンチュンイ)は、インタビューのなかで新たに発表された「基本法」草案について発言。彼は政治制度問題に関連して次のように述べた。「草案は(回帰後の)最初の一〇年間という過渡期の発展をかなり具体的に規定したものにすぎず、将来は香港人みずからの問題である」と。

現在はそれから一〇年、また一〇年と経過したが、香港の港人治港に対する中共の政策は大きく後退し、たんに「香港人みずからの問題」と見なさないだけでなく、偽の普通選挙メカニズムをでっち上げ、香港人に受け入れるよう迫っている。

喬の三つの確固不動はいきおい、一国二制度、港人治港を壊滅させることになろう。香港人は今日、一家の主人たる精神を奮い立たせ、「香港人みずからの問題」を取り戻し、奴隷になる選択をしてはならない。中央による偽の普通選挙の投げ売りは、香港人および汎民主派人士の団結を加速させることになろう。

（二〇一三年三月二六日）

バルトの人間の鎖から香港の自由を考える

弾圧を恐れず、セントラル占拠でボランティア担当の仕事を日々こなしている陳玉峰（メロディ・チャン）は、香港の「独立媒体」[*3]に発表した文章のなかで、二〇一一年八月、バルト海を横断してエストニアに向かうクルーズ船上で遭遇した二人のエストニア人のおばあちゃんと交わした会話を紹介した。この仲のよい二人のおばあちゃんがなぜエストニアに行くのかを尋ねたので、彼女は「バルトの人間の鎖」（「バルトの道」とも言う）が形成されたと聞いたので、「もう一つの中国（旧ソビエト連邦を指す）がどのようなものだったのか、見てみたい」と答えたという。

バルトの人間の鎖とは、一九八九年八月二三日、バルト三国（エストニア、ラトビア、リトアニア）で起きた歴史的事件を指す。五〇年前の同日、ソビエト連邦とナチスドイツが秘密裏に締結した「ソ独不可侵条約」によって、バルト三国はソ連に占領されることになった。五〇年後、三国はソ連からの離脱を追求して平和的なデモンストレーションをおこなった。約二〇〇万人が参加して手と手をつなぎ、六〇〇キロメートル以上の人間の鎖を形成し、国境をまたぎ、三国の首都を結んだ。その目的は五〇年間におよぶソ連の占領に抗議し、三国が遭遇した共通の歴史に国際社会の関心を呼び起こすことだった。

この場の光景は多くの人の精神を奮い起こし、その感情に影響を与え、三国合わせて八〇〇万人のあいだに自主の意識を増強させるとともに、国際社会が当時のソ独秘密協定を批判し、ソ連による三国占領の非合法性を再検討する方向へと導いた。ソ連共産党中央委員会は声明を発表し、三国が「反社会主義、反ソ連」の不法行為に従事していると厳しく非難するとともに、「民族主義、過激主義の集団」が日増しにはびこりつつあると警告した。だがソ連は三国を厳しい言葉で非難した以外、いかなる行動もとらなかった。

デモから六カ月後、リトアニアがソビエト社会主義連邦共和国のなかで初めて独立を宣言。一年後、エストニアとラトビアも独立を宣言した。

バルトの人間の鎖は「蘇東波」（ソ連・東欧〔社会主義陣営崩壊〕の衝撃波）の第一波となり、そのあと東欧の共産主義政権が相次いで崩壊、二年後にソビエト連邦も解体した。「六・四」（天安門事件）がこの事件に対し間接的な影響を与えた可能性がある。

それから二四年後、陳は「フリーダムハウス　二〇一二」[*4]の研究にもとづき、ソ連による五〇年間の蹂躙を経て、一九九〇年にようやく独立したエストニアが急速に文明を発達させ、ネット情報も自由に発達し、人々の生活も比較的平等であることを指摘した。陳はさらに、エストニアに来たのは当時、（人間の鎖という）壮挙に参加した人たちの証言を聞きたいと思ったからだと述べ、船上で遭遇したおばあさんの話を紹介した。彼女も証言者の一人で、当時人間の鎖に参加した経過を詳述したあと、陳に「中国は？」と聞いたという。

陳はこの質問を記したあと、次のように書いた。

「私は、さまざまな中国人が悲しみ落ち込んでおり、香港も（現状を）守りきれなくなろうとしていることを説明した。私は自分が記者であり、今回の休暇旅行が終わったあと、弁護士になるつもりだと打ち明けた。世の中が激しく移り変わるこの時空において、私はまだ多くのことが理解できておらず、一部のことは未決定のままである。それゆえに、あなたのように現存者の証言を聞きたくてここに来た。あなたがおっしゃったことを聞いて、社会の変革が本当に可能であること、そしてそれが現実に起きたことを信じることができた」

おばあさんは英語でこのように答えた。

「革命とはそうしたものよ。それは立ち上がったときは小さく、それから落ち込んでゆく。だが香港は、どうぞそのまま自分の道を歩みつづけてちょうだい。なぜなら、中国はみずからがどこへ向かうのか知らないのだからね」

遠くエストニアに住むこのおばあさんは、香港がみずからの方向を保持しなければならないこと、中国自身がどこへ向かうのか知らないことを知っていた。

中国はどこへ向かうのか。習近平がもっとも好きなのは、米国人のある見解を拾い上げて「中国の夢」を語ることである。香港でも一部の人は中国民主化の夢を見ている。その実、一つの例を挙げるだけで中国に希望がないことが見てとれる。

その例とは「郭美美」である。郭美美がいったい何をやらかしたのか、大陸のほとんどの人たちは知っている。郭美美事件のあと、中国紅十字会への寄付が九十数パーセントも減り、無償で（輸血用の）献血をする人の数は、各地で「血荒」（深刻な血液不足）をもたらすほど激減した。これらは郭美美による富の見せびらかしや、彼女の富の由来がどこから来たのかなど種々の伝聞と関連しているが、中国紅十字会の回答が前後矛盾していたことから、大陸の民衆は同組織への信頼をすっかり失ってしまった。

雅安地震のあと、中国紅十字会が受けとった義援金はほとんどゼロで、同組織のスポークスマンは、郭美美事件に対する調査を改めておこなうつもりだと表明した。郭の反応は「紅十字会が私の髪の毛一本にでも触ったら、私は多くの人が知らない紅十字会の汚職の内幕をただちに公表する！　資料はすでに米国に郵送してある……」というものだった。紅十字会はすぐに逃げ腰となり、再調査を否定した。

郭美美事件から、中国がどこへ向かおうとしているのか、中国民主化の夢が実際には白日夢と化しているのを知ることができよう。

香港がもともとの方向を守れるか否かについては、「郭美美」というこの一滴の水から天空全体を見てとることができよう。雅安地震のあと、大陸のネットユーザーは再び郭美美のことを論じはじめたが、ちょうどこのころ、特区政府は立法会に対し、雅安に送るために一億香港ドルの義援金支出を申請していた。香港市民は支出に広く反対し、大陸のネットユーザーも義援金支出反対を支持し、ひいては大陸のネットワーク・ビデオも支出に反対する香港立法会議員の発言を流した。だが、特区政府と建制派は奴僕のように主人に迎合するお手本を示した。香港は公の正義、廉潔さ、プラグマティズムを追求する価値観念を守りきることができない。

バルトの人間の鎖のあと、多くの国や地区がこうした平和的な抵抗スタイルを模倣した。そのうち台湾では二〇〇四年二月二八日、二二八万人が手をつないで台湾を守ろうという運動を起こし、台湾最北端から最南端まで、二〇〇万の民衆が手をつなぐ方式で全長約五〇〇キロメートルの人間の鎖を形成した。その目的は、中共が台湾に向けてミサイル発射する施設の配備に反対し、ミサイル配備反対の公民投票を支持するよう訴えることにあった。当時のスローガンには「Say Yes to Taiwan」「Say No to China」が含まれていた。

バルトの人間の鎖に比べて規模がはるかに小さい平和的な占中行動では、大多数の香港人が素知らぬ顔をした。ソ連によって五〇年間洗脳されたバルト三国の八〇〇万人が成しえたことを、普遍的価値の文明の洗礼を長年受けてきた七〇〇万香港人は成しえないのだろうか。

陳は「香港人にビクトリア公園から湾仔（ワンチャイ）まで手を伸ばしてもらうだけで、すでに大きな隊列ができあがる」[*5]と述べている。おそらくは、香港人は借り物の時間、借り物の場所で、すでに用意された自由や法治を享受することに甘やかされ、闘うエネルギーを失っているのかもしれない。しかし見たところ、元からある秩序はもはや「守りきれなくなっている」。われわれはバルトの人間の鎖を振り返ってみようではないか。それがもたらした変化はすでに起きているのだ。

「あなたが答案の一部でないのなら、あなたは問題の一部なのだ」

陳淑荘（タンヤ・チャン）は「われわれにも香港を堕落させた相応の責任がある」との文章のなかで、次のようなエピソードを紹介した。それは彼女が数日前乗ったタクシーのなかで、運転手と会話したときのことである。運転手は建制派、工聯会、とりわけ陳婉嫻（チャンユエンハン）が、特権法の動議で政府を支持したことを大声で罵り、「この陳婉嫻は朝から晩まで労働者のために働いていると自称しながら、投票するときには変節してしまう」と怒りをぶつけた。陳淑荘が「あなたは選挙民なの？」と聞くと、彼は「陳さん。おれは数年前にもあなたを乗せたが、あなたは当時もおれに選挙民なのと聞きましたね。おれは現在にいたるも一度も投票に行っていないよ。なぜって？　それは何の役にも立たないからさ」と答えた。

陳淑荘はこう書いている。私はそのとき「本当に腹が立った。白か黒か、はっきりわかっているのに沈黙と妥協を選んでしまう。平素はこうした公共的に意義のある大きな出来事を世間話のネタにしているのに、肝心の選挙のときには無視してとりあわない。こうした沈黙する大多数の人がいるからこそ、立法会内で保皇派が欲しいがままに振る舞っているのだ」

香港テレビの某従業員が初めてデモ・集会に参加したと言うと、ネット上である人が次のようにコメントした。香港では過去にこれほど不公平で、不正義なことが起きているのに、あなたは何も聞かなかったかのように放置しておき、いったん自分の利益に関係のあることに遭遇すると、ようやく参加する。これらのデモの欠席者も「香港を堕落させた相応の責任がある」のではないか？

少し前、范国威は政府に対し、政策を制定するとき香港人優先をベースとするよう促す動議を提出し、立法会で否決された。これは常識的な動議である。中国大陸の各都市を含む全世界がすべて現地人（当該地区の住民）優先である。なぜなら現地人は長年、継続的に税金を納めるか、あるいは現地に貢献してきたからだ。范の動議のポイントは、大陸からの移民の割当人数を減らすことを要求し、大陸人が入境するさいの審査・認可権をとり戻すよう要求している点にある。

しかしこれに反対する議員は、社会問題の責任を新移民のせいにすべきではないとし、范の本土主義と排外思想が社会を分裂させると批判した。建制派以外にも、泛民主派の議員二二人も記者会見を開き、「差別に反対し、分裂に反対し、排外主義に反対する」とのスローガンをもち出し、中港矛盾の問題を新移民のせいにすることを非難した。彼らはさらに、范国威と毛孟静の二人が香港に来る新移民の割当人数を減らす提案をしたことを、「香港人に辱めを与える」ものと批判した。彼らの理由は、家庭の団欒（だんらん）を支持するということだった。

回帰後、八十数万人の新移民が香港にやってきたが、その結果、香港の人口構造を変えた。陶傑は経済専門誌「信報」のインタビューを受けたさい、次のように述べた。

「われわれは、普通選挙が香港を救うとは、もはや信じられないほど悲観的になっている。あまりにも遅すぎる。あれらの脳みそのない連中（新移民を指す）を選挙に放り込んだら、（民主派は）投票で必ず負ける。あなたは彼らを変えられると自信をもっていますか？　一〇年前なら、あるいは希望があったかもしれないが、現在はその希望がなくなった。なぜなら、あまりにも多くの香港人が積極的に香港を（中共に）売り渡しているからだ」

香港の自由と法治は徐々に色あせている。（特区）政府には（中共）独裁政治の霊が乗り移り、行政機関は勝手気ままに悪事を働き、建制派の立法会議員は西環（中連弁の代名詞）の命令を聞き、香港の内部の事柄に対する中共の干渉はすでに暗（非公然）から明（公然）へと変わってきた。中共の宣伝機関はとげとげしい口調で「今日の城内はいったい誰の天下なのか、見てみるがいい」と言い放ち、反対派を「げすなやつ」（原文は「賤骨頭」）と呼び、「げすなやつに対しては強硬、強硬、さらに強硬に出なければならない」と述べている。

筆者は、中共の宣伝機関がこのように公然と一国二制度を破壊し、天下に君臨するポーズでわめきたてることに対し、きわめて大きな反感をもっているが、泛民主派を「げすなやつ」と呼んだことについてはいくぶん同意する。泛民主派が「げすなやつ」であるだけでなく、多くの香港市民も実際のところ「げすなやつ」である。彼らは中共の「強硬さ」に抵抗する勇気をもたず、ちょっとでも飴をもらえばすぐに妥協してしまう。これが「げすなやつ」の本来の姿である。

彼らは選挙民になるための登録をせず、投票にも行かず、デモにも参加せず、社会の不公平や香港の政治・経済・社会に対する中共の全面的な侵蝕にも、多くの香港人はそのまま放置して関心を払わない。彼らは香港が元からある体制のなかで徐々に落ちぶれていくことに対し、自分と直接利害関係がないと感じているか、あるいは力を入れても役に立たないと感じている。最新の民意調査によると、占中によって普通選挙を勝ちとろうとする市民への支持は二五％にまで減少し、これへの反対は五五％に上昇した。

民主化を勝ちとろうとせず、普通選挙を勝ちとろうとしないことは、香港を保護する防火壁（ファイアーウオール）の建設を放棄し、邪悪な勢力の侵入を容認することに等しい。ただ中共を罵り、政府を罵り、梁振英を罵るだけで、今日香港ではびこっている問題に無関心であるあなたは、いったい責任がないとでも言うのだろうか。

一九六八年のフランスの学生運動における有名なスローガン――「もしもあなたが答案の一部でないなら、それはつまりあなたが問題の一部である」を想い出す。

答案とは何か。それは民主的な普通選挙によって自由と法治を保障する制度である。問題とは何か。それは現在香港に出現している大量の衰退問題である。あなたが答案完成を促進する一部でないとしたら、あなたはすなわち問題を製造する一部なのだ。問題を製造するのは梁政権と在香港の共産党政権だと言う必要はなく、あなたも問題を製造しているのだ。あなたが現在もっている自由をしっかりと握って投票に行くとか、デモに行くとか、抗議活動に参加するとかせず、ただ誰かがあなたに代わって発言するとか、あなたの利益のためにある場に臨んでくれたらいいと考えているとしたら、あなたこそ問題の一部である。

今日、あなたが依然として、すでに特権資本主義を形成した中国、その指導者が慈悲の心をもって政治改革をおこなうという幻想を抱いたり、あるいは中共が香港に真の普通選挙を恩賜してくれるとか、梁振英が役立たずであることを発見して中共が彼を更迭してくれるという幻想を抱いているとしたら、あなたも知らず知らずのうちに問題の一部となっているのだ。

すべての民主化は本土の民主化であり、すべての発展はみな本地優先の発展であり、すべての自治は外国人を優先させる自治ではありえない。二一歳の大学生鄧敏琳（ドンマンラン）さんは「骨のある人」（原文は「硬骨頭」）である。彼女は答案の一部である。しかし、わずかな政治的、経済的利益のために香港を売り渡すか譲渡し、香港が落ちぶれていく事態に直面して、なすべきことを故意にしないあれらの人たちはげすなやつである。あなたたちはみな問題の一部である。

（二〇一三年一一月一六日）

落ちぶれるのか、奮起するのか

英国は一〇〇年あまり香港を統治したが、香港人に英国を愛せよと要求したことは一度もなかった。返還前、香港人はいわゆる高等華人や香港の英当局が育成した高級公務員を除き、一般市民は英国に対しなんの感覚ももっていなかったと言うことができる。英国には国慶節がなく、ただ英女王の誕生日を祝う公式行事があるのみだった。この不確定な日を誰が覚えていようか？　香港社会にはこれまで米国崇拝、日本崇拝などがあったが、英国崇拝はなかった。香港人は過去に英女王を「事頭婆」（女主人）と呼び、英国国歌の歌詞を「個個揸住個兜」（一人ひとりが物乞いのお椀をもって）につくりかえ、英国の経済不振を皮肉った。

中英交渉が一九九七年に香港を中国に返還すると決めたことから、香港人のあいだで移民ブームが起こったが、移民先として英国を選んだ人はきわめて少なかった。英国は国籍法を定め、大多数の英国籍華人による英国居住権保有を拒否したが、香港ではこれに反対する声が必ずしも強くなかった。のちになって、英国は香港の政商やエリートに英国居住権を与える計画を提出したが、その割当人数はたった五万人だった。しかし移住希望者は勇躍して申請するという感じではなく、香港社会でもこうした差別的対応にすごい反発が起きたわけではなかった。

植民地時代の一九五九年、龍獅旗が香港の旗であることを確認したが、これが香港旗であることを知っている人は少なく、各種の活動でこの旗を振る人は少なかった。

香港人は過去、必ずしも親英ではなく、わずか少数の人だけが英国の人間を知っているか、あるいは英国への思い入れの気持ちをもっているにすぎなかった。中英交渉は香港に共産党拒否の思想トレンドを巻き起こしたが、その重点は共産党拒否であって、英国の統治に恋々としているからではなかった。香港人は英国の管理統治を重んじてはおらず、極端に言えば、反英国の民族主義感情をもっている人は少なくなかった。その原因の一つは、英国が香港の将来をめぐる交渉で（中国に）譲歩したためである可能性が大きい。返還後の初期、特区政府と中央政府に対する香港人の信任度がすこぶる高く、国外に移民していた一部の人たちは次々に香港に戻ってきた。

それから十数年経過して、英統治時代を懐かしむ考えが香港に出現するとは想像もしなかった。一九九七年以後、公共の場所でほとんど姿を消していた香港旗が二〇一〇年以降、香港の社会運動において再び出現し、この三年来、龍獅旗のはためきが普遍的かつひんぱんに見られるようになった。ネット世界では、中共と在香港中共政権を駆逐し、英国の統治を復活し、香港の自治運動、ひいては香港独立を肯定する主張が主流の声となっていると言えよう。そしてこれらは表舞台の上で展開されている政界、経済界、メディアの各種パフォーマンスとはちょうど正反対である。

香港人は中共が「基本法」を踏みにじり、特区政府がしっぽを振って在香港中共政権に上座に座るよう請い求め、香港の既存の価値や文明の喪失を反映する種々の政治・経済・社会の混乱現象が起きていることに不満を抱いているが、それは結果的に、懐旧意識や本土意識の台頭を招いている。

香港市民はこれまで英国を無視してきたが、共産党嫌いが理由で英統治時代に対する懐旧の念が生まれた。こうした民心の変化を、英米の政界が知らないわけがない。米国が重量級のクリフォード・A・ハート・ジュニアを、英国はキャロライン・エリザベス・ウィルソンをそれぞれ駐香港総領事に任命し、二人とも親しさをアピールして香港の民心をつかみとろうとしているが、実際のところ、その狙いは香港の普通選挙のために手本を示すことにある。

数日前、香港の一群のネットユーザーが、月餅一箱と龍獅旗をウィルソン総領事に送った。香港社会には毎年、春節や(中秋節など)祝日に贈り物をする習慣があるが、民間が自発的に、本名を名乗らず、グループとして政府官僚や外交使節に贈り物を届けるのは、未だかつてなかったことだ。ハート・ジュニア総領事は一般大衆とひんぱんに接触し、英国のサー・ヒューゴ・スワイア外務閣外大臣は一文を寄せ、真の普通選挙への支持を表明した。これは、香港の民情に寄り添う英米両国の措置であり、英米の中国に対する調整、香港政策に対する調整を反映している。英国は香港の民主化プロセスに対し、いかなる支援も惜しまないと真っ先に表明した。

スワイア大臣は、「(中英共同宣言は)香港の高度の自治と基本的権利および自由を確保した。英国と香港は深遠な歴史的関係を有しており、共同宣言のなかでおこなった約束は必ずや真剣に対処しなければならない」と述べた。

「共同宣言」と今日の香港の現実を照らし合わせてみると、多くの疑問点を提出できる。

中国は「共同宣言」のなかで、回帰後の香港は「外交と国防問題が中央人民政府の管理に属することを除き、香港特別行政区は高度の自治権を享有する」と約束している。中央は現在のように、思うがままに香港の自治範囲に干渉する権利をもっているのか?

「共同宣言」は香港の基本的な政治制度の枠組みを確立し、「立法機関は選挙によって生まれ、行政機関は必ず法律を守り、立法機関に対し責任を負わねばならない」としている。行政主導ということは存在せず、立法機関は現在のような怪胎（奇形、異端という意味）の選挙であってはならないのだ。

（「共同宣言」では）「中央人民政府が派遣して香港特別行政区に駐留し防衛任務に責任をもつ部隊は、香港特別行政区の内部の事柄に干渉しない」（とされている）。したがって、「占中」に対し香港駐留部隊を出動させると脅したのは、明らかに「共同宣言」違反である。

「共同宣言」は二つの人権公約[*6]が香港に対して有効だと明言しており、この公約は選挙が必ずや「広く行きわたり、かつ平等である」ことと規定している。これは、立法会の「選挙」と行政長官を選ぶ二〇一七年普通選挙を念入りに見るさいに、準拠すべき規則である。

「共同宣言」の英国側備忘録では、英国は元からの香港の英国籍人士に対しある種の地位の保留（ＢＮＯ＝英国海外市民）を与えるが、在英居留権を付与しないと述べている。だが備忘録は一方だけがつくったもので、双方が協議したものではない。二〇〇九年、英国は「国境、市民権、移民条約　二〇〇九」を採択し、ＢＮＯを所有するすべての「無国籍人士」は、在英居留権をもつ「正式パスポート（ＢＣ）」を申請できることになった。それゆえ、ＢＮＯをもつ香港人で、「自発的に」中国国籍を受けとらないか、あるいは「自発的に」中国国籍を放棄したならば、無国籍人士と見なされる、すなわちBCを申請できると英国は言う。

もしも英国が大量のBNO人士のBC申請を受け入れることになれば、おそらく同条約は議会を通過するのが難しかったであろうが、英国で誰か一人でも、これは事実であるはずがない（つまり、大量のBC申請を受け入れるとの意味）と提起しさえすれば、中共による香港人の政治的権利の剝奪を牽制するカードとなるのだ。

香港の民主化に対する英国の支援は強力なのだろうか。つまり支援と言っても、横暴で道理をわきまえない強権を阻止することができるものなのだろうか。もちろん疑問符がつく。だが英米の支援は、国際社会が本土に立脚して民主化を勝ちとる香港人の行動に正面から応え、香港人と気心が通じ合っていることを顕示するものだ。いまは、香港が落ちぶれていくのか、それとも奮起するのかのカギとなる時期である。香港人のなかにおいて、個人的利益から香港を売り渡すことで零落を主導するのか、それとも正義感から香港を守ることで奮起を主導するのか。（香港の人たちは）この重要な時期をしっかりと掌握してほしい。

（二〇一一年九月二一日）

訳注

1　二〇一一年九月、中国広東省汕尾（シャンウェイ）市に属する陸豊市烏坎村で、四〇年近く居座った村の共産党支部書記による腐敗（不明朗な土地取引など）に怒った住民が抗議を開始。書記を追放し、直接選挙で自治組織をつくった。村を管轄する陸豊市当局が取り締まったが、住民は村を封鎖して対立。広東省政府が自治組織存続を保証し、村民側の要求（村長選挙のやり直しなど、村民委員会選任の直接選挙）をほぼ受け入れた。多くの専門家は、烏坎事件の解決方法を「烏坎モデル」と呼んで高く評価した。

しかし一年たっても遅々として進まない土地問題の解決を訴えるため、一〇〇人あまりの村民がささやかな抗議集会をすると、陸豊市警が同村に一〇〇〇人以上の武装警察や機動隊を投入して、デモ隊を弾圧した。その後、外部から烏坎村に人や車両を入れないようにして村を孤立させ、外への情報流出を遮断するなど、「烏坎モデル」の全国的な普及・拡大を阻んでいる。

2　重さを量る道具。竿の一端に品物を、他端に分銅をつるして、中間にある支点となる取っ手をもち、竿が水平になるように分銅を移動させ、釣り合った位置の目盛りを読み、重さを量る。

3　独立媒体は二〇〇六年設立された非営利社会団体で、香港の民主化運動や社会運動を推進することを旨とし、政権や財団、政党の支配を受けない公衆の言論空間の建設に力を入れている。同団体が資金援助する香港独立媒体網は、香港をベースとするネット媒体で、主な内容は時事評論や社会・政治・文化トピックス。近年は政府による国民教育の推進とこれに抗議する民間の動きなどを多くとりあげている。

4　フリーダムハウスは、一九四一年にナチスドイツに対抗して、自由と民主主義を監視する機関として設立された。またフリーダムハウスは毎年一九三の国と地域の自由度や人権状況を表すレポート「Freedom in the World」と報道の自由度を調査したレポート「Freedom of the Press」を公表している。

5　二〇一九年八月二三日、「逃亡犯条例」改正問題で混乱が続く香港で、大勢の市民が手をつないで「人間の鎖」をつくった。主催者によると一三万人以上が参加したという。今回の行動はソ連統治に抗議した平和的なデモ「バルトの道」から三〇年となるのに合わせて企画された。香港の「人間の鎖」が始まったのは現地時間午後八時ごろ。デモ隊が手をつなぎ、地下鉄三路線の沿線で「香港の道」を形成した。

6　国連の両人権規約である「経済的、社会的および文化的権利に関する国際規約」（「社会権規約」）と「市民的および政治的権利に関する国際規約」（「自由権規約」）を指す。

訳者あとがき

本書の刊行が決まったのは二〇一九年七月下旬だった。翻訳をするかたわら、香港に関する資料やデータを改めて読みだすと、過去五〇年にわたる香港との付き合い、体験の思い出が、走馬灯のようによみがえってきた。僭越ではあるが、私のささやかな個人ヒストリーを披露し、香港現代史をより理解するための一助としたい。

最初に香港と接点をもったのは文化大革命発動から三年後の一九六九年夏。当時の日本は中国との国交が未回復で、北京、上海への直行便はなく、香港経由で行くしかなかった。香港到着後、中国との「国境」に位置する新界・羅湖まで列車で行き、そこで出入境検査を受け、徒歩で鉄橋を渡り、対岸の深圳へと向かった。深圳駅はきわめて簡素なものだったが、出迎えた紅衛兵らの接待でトマト入り卵スープをご馳走になり、「ようやく中国に来た」という実感がもてた。いまから考えると、当時の香港は反英暴動から二年経過したばかりだったが、恥ずかしいことにそうした知識はまったくなかった。ヨーロッパ風の建物が多く、タクシーはベンツで、物静かな異国情緒あふれた都市としか印象に残らなかった。

その後二度ほど香港を訪れたが、本格的な香港体験をするのは一九八三〜八六年、一九八九〜九二年の二回、通信社の特派員として駐在したときだ。一回目は中英交渉による香港返還の決定、二回目は天安門事件と、世界の注目を集めた事件が起き、多忙な報道活動でまさに記者冥利に尽きる幸運な時代だった。中国国営新華社通信の香港支社で、当時支社長だった許家屯氏（本書六九ページ参照）とティーパーティーで歓談したこと、静岡のスーパー「ヤオハン」が香港・沙田に出店（その後、台湾や上海にも出店するが一九九七年経営破綻）し、〝民間大使〟のように大活躍していた和田一夫社長や幹部たちとの交流、外国記者協会（ＦＣＣ）での会見や他社記者との交流、楽しい飲食会など挙げれば切りがない。

なかでもいちばん記憶に残っているのは、天安門事件で見せた香港の変貌ぶりだった。それまで金儲けにしか興味がないと思われていた香港人が、急に政治に目覚めたかのように、中国の民主化支援運動に立ち上がった。集会や街頭デモには、有名な映画俳優や歌手、タレントも数多く参加し、なかでも姉御肌で敬愛され、「ドラえもん」の主題歌を広東語で歌って子供たちのあいだでも人気があったアニタ・ムイ（梅艷芳）のスピーチ姿が忘れられない。天安門事件後、中国当局から指名手配された一群の学生指導者を救うため、香港の人たちがひそかに「黄雀行動」を立ち上げ、四〇〇人あまりの民主活動家をかくまい、のちに海外に脱出させたことはあとで知った。彼らは命を張って民主化運動を支援したのだ。

著者の李怡氏とは二回ほど食事をともにし、懇談した。同事件から一年半たった一九九〇年末だったと思うが、日本が欧米に先駆けて中国に対する経済制裁を解除したことについて、李氏から「日本はなぜ、対中制裁を解除したのか」となじるような口調で質問され、うまく答えられず困ったことを覚えている。李氏は雑誌「九十年代」で中国の民主化支援の論陣を張り、真剣勝負していただけに、日本政府の〝裏切り〟がよほど悔しかったのではないだろうか（天安門事件後のかなり早い段階で、ジョージ・H・W・ブッシュ米大統領は、事件を対中政策の転換点にしないことを決定。大統領補佐官だったブレント・スコウクロフト氏が極秘訪中し、中国の指導者たちと制裁解除に向けて接触を始めていたことが、最近明らかになっている）。

香港を最後に取材したのは、九七年六月三〇日深夜から七月一日未明にかけての香港返還式典だった。盛大な返還式典のようすは世界各国で中継放送され、英国国旗の降納と中華人民共和国国旗の掲揚という盛大なセレモニーは確かに見ものだったが、私がより興味をもったのは、双眼鏡で覗いた香港政府高官たちの表情である。彼らはぎこちない普通話で宣誓の言葉を述べたが、そこには英語・広東語主体から普通話主体へと政治言語が代わる、主権返還にともなう苦悩、悲哀が象徴されているように見えた。

返還後、数回香港を訪れたが、人々の顔に余裕が失われていく感じで、六年前FCCを訪れたときは、以前より雰囲気が悪くなったとの個人的印象をもった。二〇一八年八月、FCCが香港独立を訴える「香港民族党」の陳天浩代表を招いて講演会を開いたさい、司会を務めた英フィナンシャル・タイムズ記者（FCC副会長）が就労ビザの更新を拒否される事態が起きた。やはりというか、予想された言論統制を強める動きである。

二〇一九年一〇月、抗議デモが過激化するなか、香港の知人に「そちらへちょっと行ってみたいが」と相談すると、「来てもよいが、街中では普通話で話しては駄目」と忠告された。大声で普通話を使って話していると、大陸中国人と間違われ、襲われる危険があるという。「攬炒」（ラムチャウ。死なばもろとも）、「私了」（シーリュー。リンチを加える）といった広東語が若者のあいだで流行し、地元の新聞・雑誌にもそれらの言葉がたびたび登場していた。今の香港では言葉（話しことば）は感情の表出であるだけでなく、政治なのだ。

多くの香港人、とくに若い人たちにとって、普通話（標準中国語）とは中国共産党の強権的な一党支配、押しよせる大陸観光客の波、香港における愛国主義教育の押し付けを象徴するものであり、他方、日常会話の広東語は自由、法治、人権、民主主義を許容する香港社会を体現するものだ。誇張して言えば、普通話（中央集権化。統一志向）vs広東語（地方分権化。自立あるいは分離志向）の対決の構図が見てとれる。いわば言語上のエスニック・アイデンティテイ（民族集団への帰属意識）をめぐる戦いでもある。また香港では学校、職場、社会で新香港人（返還後中国大陸から移住した「新移民」を指す）vs旧香港人の分断、対立が続いている。普通話、あるいは広東語の扱いが今後どう変わっていくのか、香港の将来を占う一つのバロメーターとなる気がする。

香港の若者にも理解してほしいのは、普通話を話す人たち（新香港人、大陸中国人、台湾人および外国人）のなかにも、香港の抗議デモを理解あるいは支持する人たちが少なからずおり、香港の多言語・多文化の維持が香港自体にもプラスになるという事実である。とくに今後、香港の民主化運動の長期化が予想されるなか、幅広い支持を集めるためにも、普通話に対し単純に排斥するのではなく、理性的な対応をしてもらいたい、と個人的には思っている。

本書は各所に広東語の表現や標準中国語にはない広東字が出てくるため、翻訳にやや手間取ったが、広東語を理解する妻、朔の手助けを借りて翻訳作業を完成することができた。著者との連絡でも妻の協力を得ており、合わせて心から感謝する。出版にあたり仲介の労をとっていただいた草思社の藤田博編集部長、増田敦子氏、編集作業を一手に引き受けていただいた碇高明氏にも厚くお礼を述べたい。解説と訳注を書くにあたり、倉田徹著『中国返還後の香港――「小さな冷戦」と一国二制度の展開』、吉川雅之・倉田徹共著『香港を知るための60章』、遊川和郎著『香港――返還20年の相克』、中野謙二・坂井臣之助・大橋英夫編著『香港返還――その軌跡と展望』（大修館書店）、福島香織氏（ジャーナリスト）が「日経ビジネス」「ＶＯＩＣＥ」などに発表した文章およびウィキリークスなどを参考にした。

最後に、高齢をおして「日本語版序文に代えて」を急ぎ執筆していただいた著者の責任感の強さと誠実さに改めて敬意を表したい。

二〇一九年一一月末　　別荘（石川県白山市の実家）にて

坂井臣之助

編集協力——片桐克博（編集室カナール）

著者略歴———
李怡　リー・イー

1936年中国広州市生まれ。本名・李秉堯，ペンネームは舒樺、齊辛など。香港の時事評論家、コラムニスト。1956年から文筆・編集活動に入る。1970年に政論月刊誌『七十年代』（後に『九十年代』に改称）を創刊、編集長を28年間務める。1998年に雑誌廃刊後、日刊紙『蘋果日報』の社説やコラム「世道人生」を執筆。また香港の公共放送（RTHK）の番組「一分間の閲読」を主宰し、今日に至る。2013年に出版した『香港思潮』（本書）は香港各界から高く評価される。他に『最も悪い時代、最も良い時代』『世道人生之八十自述』など著書多数。

訳者略歴———
坂井臣之助　さかい・しんのすけ

1941年東京生まれ。慶應大学経済学部卒業。共同通信社入社。２度の香港特派員、編集委員兼論説委員を歴任。共著に『香港返還』（大修館書店）、著書に『直視台湾』（広角鏡出版社）、訳書に『超限戦』（共同通信社、後に角川新書）、『中国現代化の落とし穴』『中央宣伝部を討伐せよ』（以上、草思社）がある。

香港はなぜ戦っているのか

2020年3月4日　第1刷発行

著　者　李怡
訳　者　坂井臣之助
装幀者　鈴木正道（Suzuki Design）

発行者　藤田　博
発行所　株式会社 草思社
〒160-0022　東京都新宿区新宿1-10-1
電話　営業 03（4580）7676　編集 03（4580）7680
本文組版　有限会社 一企画
本文印刷　株式会社 三陽社
付物印刷　株式会社 暁印刷
製本所　加藤製本 株式会社

ISBN978-4-7942-2445-3 Printed in Japan　検印省略

中央宣伝部を討伐せよ
中国のメディア統制の闇を暴く

焦国標 著
坂井臣之助 訳

言論・報道統制機関として君臨する宣伝部解体を訴えて大センセーションを巻き起こした表題論文をはじめ、元北京大教授がメディアの現状を鋭く批判した論文12篇。

本体 1,600円

中国「絶望」家族
「一人っ子政策」は中国をどう変えたか

メイ・フォン 著
小谷まさ代 訳

「ウォール・ストリート・ジャーナル」特派員として中国社会の最深部を取材した女性ジャーナリストが、闇に包まれた悲劇の現場を圧倒的なリアリティで描く。

本体 2,400円

【文庫】モンゴル最後の王女
文化大革命を生き抜いたチンギス・ハーンの末裔

楊海英 著
新間聡

英雄の血をひく美しい王女に運命はあまりにも苛酷だった。内蒙古最後の王女の波瀾の半生を描き、少数民族の側から中国の半世紀を跡づけた異色ドキュメンタリー。

本体 1,000円

【文庫】日本人のための現代史講義

谷口智彦 著

いよいよ複雑化する世界の動きを、大戦後からの歴史的経緯を冷静にふまえて検証し、いまの日本の正確な座標を見据える一冊。未来に備えるための画期的な入門現代史。

本体 900円

＊定価は本体価格に消費税を加えた金額です。